なぜ日本から GAFAは生まれないのか

山根節　牟田陽子

光文社新書

はじめに

二つのオリンピック

２０２１年７月、東京で２度目のオリンピックが開催された。１年延期にはなったものの、新型コロナウィルス蔓延《まんえん》のさなか、メダル獲得数が史上最多の58個という日本選手の活躍に国中が沸いた。またパラリンピックも含めて、海外メディアからはボランティアをはじめ日本人スタッフのホスピタリティが絶賛された。

一方、このＴｏｋｙｏ２０２０は、招致が決まった２０１３年から世論の風当たりが強かったのも事実である。「現代にオリンピックを東京で開催する意義は何なのか？」。多くの日本人が、この質問に明確な答えを見つけられないまま大会は始まった。[1]

Ｔｏｋｙｏ２０２０の意義については、必ずといっていいほど１９６４年東京大会が引き合いに出された。この昭和のオリンピックの意義を疑う人はほとんどいない。あの頃、日本は敗戦国の荒廃から抜け出し、先進国と肩を並べるタイミングだった。国際社会に「先進国・日本」としての姿をお披露目する舞台だったのだ。日本選手がメダルを獲るたびに国中が興奮し、「日本も世界と互角に戦える！」という自信が国民の間に広がる。東京オリンピックは戦後復興と高度経済成長が本格化するシンボルとして人々の心に刻まれた。

オリンピックの後、経済成長を果たした日本は、バブル景気の陶酔を経て今は終わりの見えない低迷の中にいる。内閣府によれば、世界ＧＤＰに占める日本の割合は１９７０年に６・２％、１９８０年に９・８％だったが、１９９５年の17・６％をピークに、２０１０年は８・５％、そして２０２０年には６・０％になり、50年前のポジションに逆戻りした。さらに２０４０年には３％台にまで低下すると予想されており、世界経済における日本のプレゼンスはますます弱まりつつある。

「夢よ、もう一度」の悲願からか、はたまた停滞から抜け出したい焦りからか（?）、昭和のオリンピックを体験した人たちは、再び東京オリンピック・パラリンピック招致に走った。しかし終わってみれば、経済政策としてのＴｏｋｙｏ２０２０には厳しい評価が目立つ。「戦後最大の政策の失敗」と評するエコノミストもいるほどだ。[2]

例えば、経済効果はコロナ禍もあって大きく縮んだ。東京都は２０１７年に32兆円と試算していたが、実際の経済効果はその５分の１程度、約６兆１４４２億円と推計されている。[3]組織委員会や東京都、国の赤字（歳出超過額）の総額も約２兆３７１３億円にのぼった。

あの頃、日本に憧れたナイキ

１９６４東京オリンピックが戦後の経済成長の礎を作り、Ｔｏｋｙｏ２０２０が失策という経済政策面の対比だけでなく、この二つの大会は様々な面で当時の日本と現代の日本の対照を際立たせてくれた。

例えば、大会前に頻発した茶番。新国立競技場の建設計画白紙撤回、大会エンブレムの盗

1　調査会社イプソスは２０２１年7月、28カ国で実施した東京オリンピックに関する世論調査の結果を発表。57％が開催に反対していると明らかにした。反対が最も多かったのは韓国の86％、次いで日本の78％。五輪への興味が最も低かった国は下位からベルギー（28％）、韓国（30％）、日本（32％）だった。

2　章末の［文献１］より。

3　関西大学の宮本勝浩名誉教授の推定による（www.u-presscenter.jp/article/post-46511.html）。

作疑惑と変更、連続した都知事の辞任、ＪＯＣ会長の招致買収疑惑、組織委員会会長の女性蔑視発言と辞任……など。このオリンピック開催前の一連の騒動を『昭和の膿《うみ》』が一気に出た」と表現する識者もいた。「日本はいまだに昭和を引きずっている」。こんな日本に暗然とした気持ちになった人は多かったに違いない。

競技中にも昭和と令和の対照を感じさせるイベントはいくつかあった。

例えば、オリンピックの花であるマラソン。男子マラソンで、３人のメダリストがすべて米・ナイキの「ズームX ヴェイパー フライ ネクスト％２」を履いていた。ナイキが表彰台を独占したのだ。

「ランニングシューズは軽くて薄底が良い」という概念をこのシューズは覆し、ソールの厚みは37ミリにもなる。その中に挟み込まれた反発力のあるスプーン状のカーボンファイバープレートが威力を発揮して、世界中の大会で新記録の樹立を次々とサポートしてきた。

この現象は、陸上競技全般でも起きている。１１４人のメダリストのうち73人もの選手がナイキの靴を着用していたのだ。２位は独・プーマで16人、その後を独・アディダスが15人で追い、日本のアシックスを履いていたメダリストはわずか３人だった。[4]

一方、現在のナイキがアシックスを圧倒している立ち位置は、１９６４年の大会では逆だった。少なくとも日本人ランナーは、全員オニツカタイガー（現在のアシックス）を履いていた。マラソン銅メダルの円《つぶら》谷《や》幸吉《こうきち》ももちろんオニツカだった。１９６４年の大会でオニツカを履いた日本選手の合計メダル数は46個（団体競技の受賞者合計数も含めて）に及んだ。

では、その頃のナイキはと言うと、まだ生まれたばかりでアシックスをリスペクトし、恋焦がれる立場だった。

現代スポーツ用品界の絶対的王者ナイキは東京オリンピックの年、１９６４年に生まれた。この年に、ナイキはオニツカタイガーの米国での輸入販売代理店として創業したのだ。２０１７年に出版されたナイキ創業者フィル・ナイトの伝記『ＳＨＯＥ　ＤＯＧ』は、オニツカをはじめ、こそばゆくなるほど日本企業や日本文化に対するリスペクトであふれている。

ここでナイトのストーリーをおおまかに紹介しよう。[5]

創業の物語は輸入販売代理店「ブルーリボンスポーツ」を立ち上げる3年前に始まる。

ナイトは、スタンフォード経営大学院の学生として、起業家養成講座を受講していた。そ

4　www.track-stafs.com/nike-top-brand-medal-table-buf-puma-on-the-rise/ より。
5　ナイキのエピソードは特に断りのない限り章末の［文献２］によっている。

の期末課題として、新しいビジネスプランの提出が課され、ナイトはランニングシューズのビジネスを思いつく。彼は学生時代、陸上競技の選手で一時はアスリートとしての人生を夢見たこともある人物だった。プランの内容はこうだった。

・かつてドイツの独壇場だったカメラ市場に、日本企業が参入して世界を席巻したように、日本のランニングシューズにも同じことが起きる可能性がある
・労働集約的なシューズ製造を今から始めるのなら、ドイツではなく日本だ

ビジネススクール卒業後、ナイトは地元のオレゴンに戻り、小さな会計事務所で働き始める。しかし、心の奥深くでは別の考えにとりつかれていた。「アスリートになれなくても、アスリートと同じような気分を感じる方法はないだろうか。仕事ではなく、常にスポーツをプレーする気分を味わう方法は……」と。そう考えるうちにナイトは、ビジネススクール時代に発案した、あのビジネスアイデアを思い出す。彼にはそれが光り輝いて見えた。

ナイトは光明に導かれるようにして、そのアイデアを実行に移す決意をする。1962年、父親に航空券代を無心し、戦後の荒廃がまだ多く残る東京に降り立った。そして大混雑する

列車に飛び乗り、立ったまま神戸に移動する苦痛に耐えながら、言葉もろくに通じない中で、それでも「オニツカタイガー」というブランドを展開する運動靴メーカーに飛び込んだ。それは今のアシックスの前身である鬼塚㈱（人物名と社名を区別するために、社名の場合は「㈱」を記載する）だった。

ナイキを育てたオニツカ

鬼塚㈱は、１９４９年に鬼塚喜八郎によって神戸市に設立された。[6] 当時の神戸の街には、戦災で焼け出され、親を失った子供たちが繁華街に集まり、非行が横行していた。鬼塚は、そんな時代に兵庫県の教育委員会で働いていた友人から「青少年の健全な育成に一番必要なものはスポーツだ。しかし今の子供はスポーツをするにも履く靴がない」と言われる。

そこで「よしわかった。靴屋になる！」と、鬼塚が始めたのが鬼塚㈱である。

靴の製造について全くの素人《しろうと》だった鬼塚は、まずバスケットボールシューズの開発から始

6　鬼塚のエピソードは章末の［文献３］を参考にしている。

めた。地元高校のバスケットボール部の練習を見学させてもらい、試行錯誤を繰り返した末、足裏に吸盤状のものをつけることで滑りにくくしたシューズを「オニツカタイガー」ブランドで発売。それが口々に評判を呼び、最終的には国内のバスケットボールシューズのシェアを50%占めるようになる。

ランニングシューズについては、１９６１年にびわ湖毎日マラソンで優勝したアベベ（エチオピア）がオニツカタイガーを履いたことで大きな注目を浴びた。

アベベはローマオリンピックのマラソン金メダリストであり、しかも裸足で走って世界を驚かせた人である。鬼塚は来日したアベベの滞在先に押しかけ、「靴は必要ない」と断るアベベを説得してシューズを履かせた。アベベはこの靴でびわ湖マラソンを圧勝。[7]このニュースをナイトも聞いていたようだった。

初めてのオニツカとの打ち合わせで、26歳のナイトはスタンフォード時代のレポートをそっくり活かした。アメリカのランニングシューズ市場は将来性があること、オニツカタイガーの靴はそこで大きなシェアを取れる可能性があることを熱弁した。

最初は疑心暗鬼だったオニツカの社員たちも、ナイトがランニングやランニングシューズに関する専門知識や熱意を持ち合わせていることがわかると、信頼し始める。最終的に、オニツカはナイトに代理権を認め、両社の関係がスタートした。

ナイトのビジネスはプラン通りにはいかず困難の連続だった。特に、ＹＥＳ／ＮＯをはっきりと言わない日本人特有のコミュニケーションスタイルには難儀する。ナイトの要望に応えてくれず、靴の到着はいつも遅れ遅れだった。

それでもオニツカタイガーの靴はアスリートたちに好評で、ナイトは銀行から可能な限りお金を借り入れ、ビジネスを拡大させていった。シューズの改良やデザインについても、数々のアイデアを提案した。大方は無視されたが、オニツカもいくつかのアイデアを受け入れ、それを元に新製品が作られた。そして、１９７０年にはアメリカのランナーの70%がオニツカタイガーの靴を履くようになった。

しかし、そんな両社の関係は7年目を迎えた頃、影を落とし始める。ある日、ナイトはオニツカから「ブルーリボンスポーツの経営権を51%買い取りたい。それが飲めなければ他の

7　ただし１９６４年の東京オリンピックでアベベはオニツカではなくプーマ製を履いて走り、金メダルを獲得した。というのもプーマはアベベに高額な契約金を提示し、当時のスポーツ界は既に有名アスリートとの契約がビジネスを左右する流れになっていた。この潮流が世界的なブランド企業と「オニツカタイガー」の企業力を分ける要因にもなった。

代理店を探す」と通告される。ナイトらの努力でオニツカタイガーの米国での業績が右肩上がりに伸びるのを見て、オニツカが自ら展開したいと欲が出るのは当然でもあった。

当時、ブルーリボンスポーツはオニツカとアメリカでの独占代理店契約を交わしていて、オニツカの提案はナイトにとって青天の霹靂《へきれき》だった。そこで、オニツカを信頼できなくなったナイトは自らのブランドを立ち上げることを志す。

その時、「ブランドは何にする？」と聞かれてひねり出したのが「ナイキ」である。「ナイキ」とは、ギリシャ神話に登場する勝利の女神「Ｎｉｋē（ニケ）」のこと。そして、靴には「スウィッシュ」が彩られた。スウィッシュは、ランナーが「シューッ！」と走り去る音を表現したロゴで、ナイトが地元のデザイン専攻の大学生に作成してもらったものだ。ナイトはこれが気に入った。

水面化でのナイキの立ち上げを知ったオニツカは激怒し、ブルーリボンスポーツとの代理店契約を解除するだけでなく、損害賠償を求めて訴えてきた。返す刀で、ナイトらもオニツカを訴えた。裁判は１９７４年にナイトらが勝訴したが、これで両社の亀裂は決定的となる。こうしてナイキは、オニツカタイガーの代理店としての束縛をのがれ、自由に羽ばたくことになる。ナイトはこう語る。

「オニツカにされたことは辛かったが、後から考えればそれは最高の出来事となった。あれがなかったら、ナイキは生まれなかったからね[8]」

世界のトップを走るナイキを育てたのは、良い面でも反面教師という意味でも、オニツカだったのだ。

ナイキを資金支援した日本の商社

こうしてナイトの第二創業が始まった。そしてそこでも、日本企業が大きな役割を果たすことになる。

オニツカから独立しても、ナイトにとって資金は頭の痛い問題で、資金繰りはいつも綱渡りだった。特に売上がどんどん伸びるので、在庫も売掛も膨らみ、常に資金は火の車だった

8 章末の［文献4］より。

のだ。当時は現代のようにベンチャーキャピタル（ＶＣ）などがほぼ存在せず、スタートアップが資金面で頼れるのは、親族か銀行くらいだった。しかし、銀行はリスクを恐れてなかなか必要資金を貸してくれない。

そんななか、ナイトは日本で「総合商社」と呼ばれる貿易会社が、取引先のプライベートバンク代わりになって資金支援しているという記事を読む。そして偶然にも、メインバンクの向かいのビルに、日本で6番目の総合商社・日商岩井（現・双日）がオフィスを構えていた。ナイトは藁《わら》をも掴む気持ちでそこに飛び込み、融資を打診した。

飛び込んできた熱意溢《あふ》れる青年ナイトに、日商岩井は可能性を見出し、とんとん拍子で融資の話がまとまる。日商の担当者・皇《すめらぎ》孝之は、資金以外にもナイトをいろいろ支援した。世界の靴工場の情報を持ち、各地の「シュードッグ」をナイトに紹介したのも彼である。

シュードッグとは、靴のビジネスすべてに身を捧げる人間のことだ。ナイトは彼らのことが理解できた。人間は一生のうちに地球一周ほどの距離を歩くという。シュードッグはそうした人々の世界一周の旅に関わりたいのだ。彼らにとって靴とは、人とつながる手段であり、彼らは人と世界の表面をつなぐ道具を作っているのだ。

皇とナイトの間には同志的結合が生まれた。

シュードッグたちが推薦する製造工場はその頃すべて日本にあった。やがて日本から試作品が上がってくる。まずまずの出来で、ナイトの独立の快進撃がここから始まる。ただし、売上が急成長するとまたぞろ困ったのが資金繰りだった。銀行は成長を急ぐナイトを危惧した。

１９７５年の春、メインバンクから突然、資金停止を言い渡される。いよいよ小切手の不渡りが出るギリギリの時、ナイトは頼みの綱であった日商に駆け込んだ。この時、皇の上司・伊藤忠幸は帳簿の監査を要求する。

監査の結果、ナイトの思いもよらない事実が明らかになる。皇がブルーリボンへのインボイス（請求書）の発行を遅らせていたのだ。資金繰りがキツイことを知っていて、ナイトを助けるためにインボイスを引き出しの中に隠していた。伊藤は皇に「なんでそんなことをしたんだ」と問うと、皇はこう答えた。

「ナイト氏とは何度も…試合に行きました。倉庫で荷造りも手伝いました。ナイキは私にとって我が子のようなものです。我が子の成長を見るのはいつだってうれしいものです」

そして、話を聞いた後に伊藤はナイトに取引の停止を通告した銀行にこう言い切る。

「日商がブルーリボンの借金を返済します。全額！」[9]

倒産から救ってくれた日商にナイトは絶大な恩義を感じている。オレゴン州ポートランド郊外にあるナイキの本社には、広大な敷地の中心に「Nissho Iwai Garden」がある。春になると桜並木が満開になる日本庭園は、ナイキと日本の深い関係の証である。

ナイキが惹きつける世界観

皇たちを含めて、人々はナイキのどこに魅了されたのだろうか。オニツカタイガーとどこが違うのだろうか。

ヒントとなる言葉を鬼塚自身が残している。

ナイキとアシックスはどこが違うのかと言いますと、ナイキは商社であり、アシックスはメーカーなんです。ですから、ナイキは工場を持ちません。その資金を商品開発とマーケティングに投入するわけです。…それに対してアシックスは、「まず技術ありき」です。[10]

ナイキの成功を支えたのが、製品開発を含めて巧みなマーケティング手法であることは事実であろう。創業当初、ナイト自身は「製品の品質こそすべて」と言い放ち、広告の力を信じていなかった。しかしある広告代理店が制作した映像を見た時、ナイキの哲学を完ぺきに捉えた出来栄えを見て考えを改める。そのＣＭでは、オレゴンの寂しい田舎道を一人のランナーが走っていた。そして、キャッチコピーはこうだった。

競争に勝つことは比較的簡単なこと。自分に勝つことはゴールラインのない挑戦。[11]

9 直前の発言も含め章末の［文献２］より。
10 章末の［文献３］より。興味深いことに現在のアシックス尾山基会長は元・日商岩井の社員で、日商時代にナイキ・ジャパンの設立に携わった人である。１９８０年鬼塚喜八郎の長女と結婚し、１９８２年アシックスに入社、２０２２年３月までＣＥＯを務めた。
11 章末の［文献２］より。

ＣＭの主役は製品そのものではなく、製品に込められた精神世界であった。これはナイトの実感そのものであり、やがてナイトも広告が単なる宣伝活動ではなく、マーケティングとはナイキが何者であるかを顧客に伝え、顧客と精神的な絆を築くための手段であると理解するようになる。

もともとナイトを創業に駆り立てたのは、「自分の人生がスポーツのようでありたい」と思ったからだ。世界は苦痛に満ちている。単調な毎日は心身を消耗させる。しかしそんななかで一つの解決策は、自分に合った夢を見つけて、それをアスリートのように一心に追い求めることだ。そして、ランナーがゴールに迫り、観客と一体になって盛り上がる瞬間の喜びを共有したい。

ナイトの記憶に焼き付いた数々の映像。テニス全米オープンを制覇したアンドレ・アガシがボックス席にいたナイトに駆け寄ってきて、言った言葉。「俺たちはやったぜ、フィル！」

ゴルフ全英オープンで、優勝のファイナルパットを決めたタイガー・ウッズが、ナイトをハグして離さなかった、あの時……。

「人々により良い幸福、健康、安全、改善をもたらしたい。…これを成し遂げる方法は、人間という壮大なドラマの中に身を投じることだ。単に生きるだけでなく、他人がより充実した人生を送る手助けをするのだ[12]」

鬼塚が言うように、ナイキは商社的かもしれない。ただしそれは製造工場を持たないという意味であって、企画、研究開発、設計を手掛けるモノ作りの会社であることに変わりはない。肝心なのは何を作っているか、にあるのではなかろうか。

鬼塚が「製品を作っている」とすれば、ナイキは「精神世界を作っている」と言うべきかもしれない。昭和という不足の時代には、製品＝モノが大事だった。しかし豊かな社会では、モノは余っている。モノ自体より、モノが醸し出す精神世界が重要なはず。「人間という壮大なドラマ」を彩るコンテンツを作っているのがナイキなのである。

そして、この話で思い出すのが、ピーター・ドラッカーが時折引き合いに出す有名な３人の石工の話である。話の大筋はこうだ。

---

12 章末の［文献2］より。

旅人が建設現場で働く3人の石工に出会う。

旅人は1人目の石工に「あなたは、何のためにその仕事をしているのですか？」と聞いた。すると、石工は何を当たり前のことをという顔で不快そうに「生活のために決まっているじゃないか。家族を食べさせるために金を稼がないとな！」と答える。続いて、2人目の石工に同じことを聞くと、石工は汗を拭いつつこう答えた。「この硬くて大きい石を切るのに、一生懸命努力しているところさ。腕を磨いて、いつか村一番の職人になるんだ！」と。

そして、3番目に出会った石工は目を輝かせこう言った。「私は今、たくさんの人々の心を癒す大聖堂を造っているのです」。

どうだろう。2番目の石工がアシックスで、3番目がナイキと言ったらいいだろうか。「良い・悪い」を言っているのではない。まして2番目の石工が悪いわけでもない。2番目の石工は、古き良き昭和人の匂いがする。真面目に一途にモノ作りに励む姿。多くの日本人が好感を寄せる職人の姿がそこにある。

アシックス製もナイキ製も、両方とも良いものだ。問題は「良い」の意味が異なることだ。製品のスペックから見て、両社はどちらも良い。しかし、現代において製品品質の劣る製品はもはやない。製品品質が良いのは当たり前の時代なのだ。

製品の品質については、マーケティング分野ではいろいろな言葉が使われる。例えば「製品品質vs感性品質」。ナイキはシューズに独特の世界観を吹き込んだ、感性品質に優れた企業といえる。一方のアシックスは製品品質には強くても、感性品質に弱いといえないか。現代は、消費者の感性に響く豊かなコンテンツを創造し、認知してもらえるかが勝負なのだ。

GAFA as No.1

株式時価総額はそのことを端的に表している。ビジネスという土俵で両社を比較した時、その差は歴然である。

ナイキの時価総額は、２０２２年3月末時点では２１２億ドル（約24兆円、１１５円／ドルで換算）、世界ランキング49位に位置する。一方、現在のアシックスの時価総額は約４５００億円（日本企業の中で２７５位）で、ナイキの約50〜60分の１である。

図表Ｐ－１は、両社の財務諸表を対比したものだ（決算期は異なる）。

売上高でナイキは５・１兆円に対してアシックスは０・４兆円。純利益ではナイキが６５００億円に対してアシックスは約１００億円。はるかに見上げる関係といえよう。

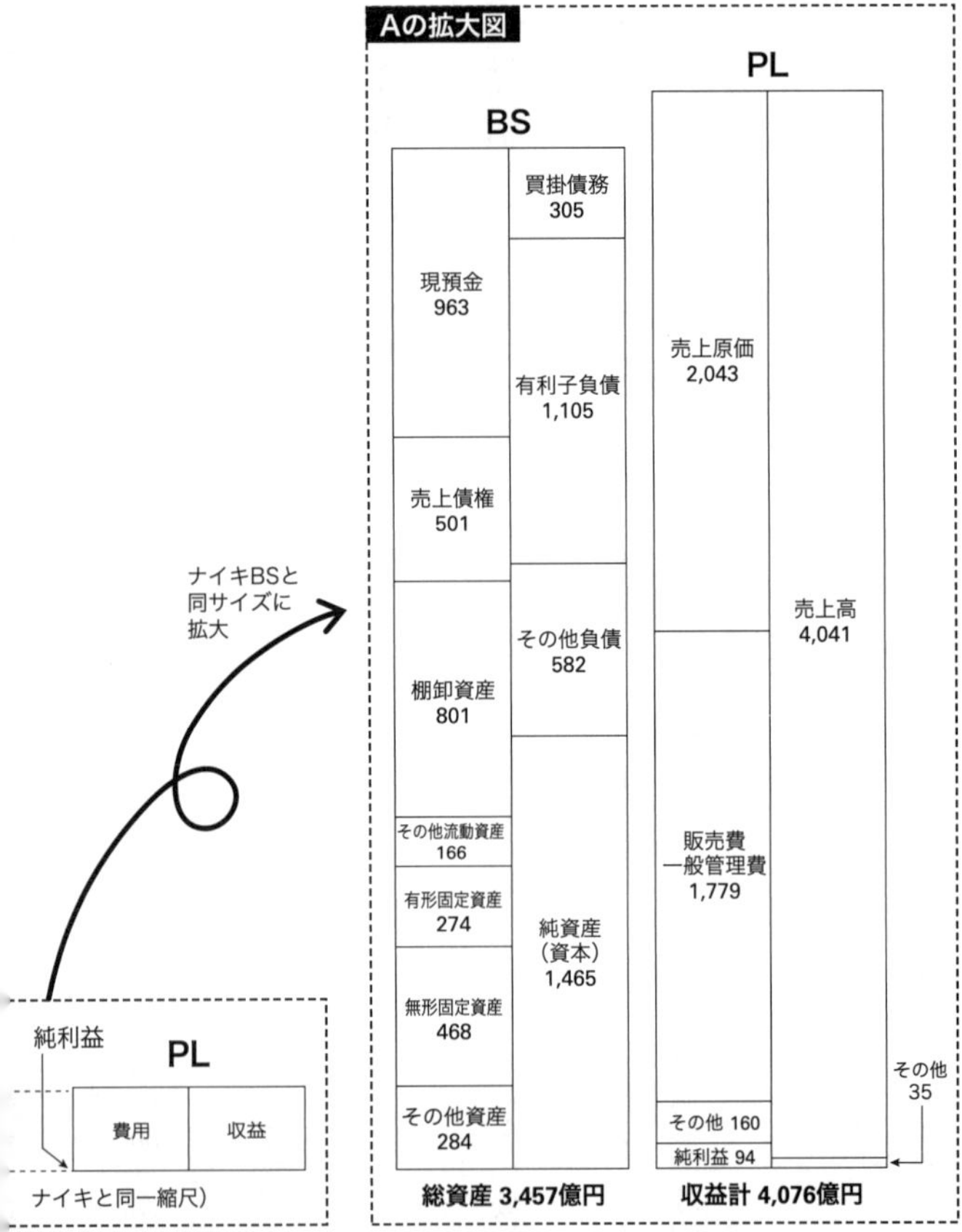

アシックス
(2021年12月期、単位：億円)

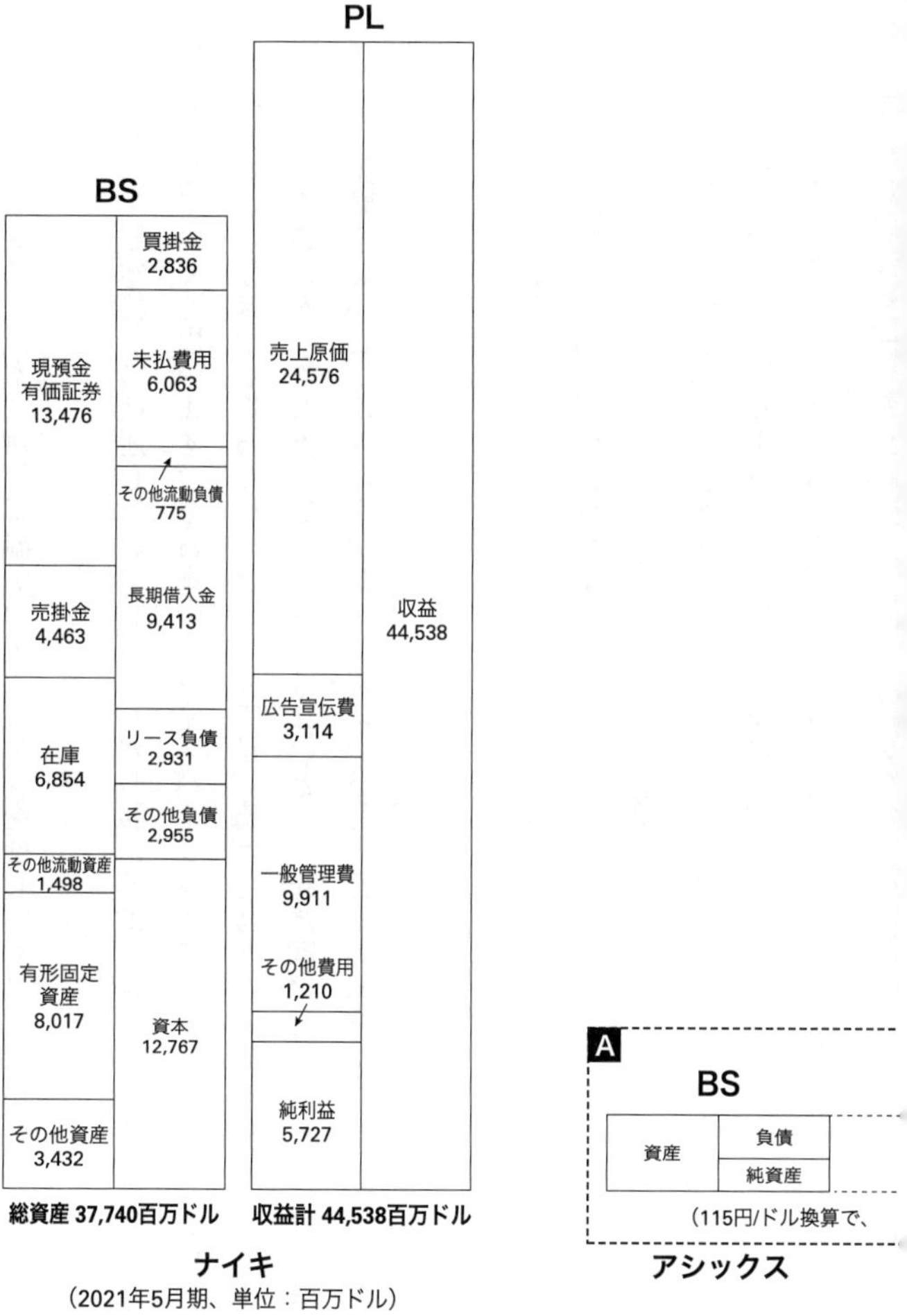

図表P-1　ナイキとアシックスの財務諸表比較

しかし、ナイトは、日本に対して温かいメッセージを残してくれている。

「たしかに、日本経済は低迷していました。しかし私は非常に楽観的に未来を見ています。再び成長していくと思います。…日本のビジネスパーソンがアグレッシブではない、起業家精神がない、リスクを取らない、という見方は、真実ではないと思います。ソニーの盛田昭夫さんのことを、誰もアグレッシブではないとか、起業家精神がないとは言わないでしょう。素晴らしいビジネスパーソンは実際にいるし、日本の未来は十分に明るいと言えます[13]」

これは、日本贔屓《ひいき》ゆえといえないこともない。しかし、かつてエズラ・ヴォーゲルの『Japan as No.1』が米国で出版されたように、少なからず日本企業をリスペクトしてくれた外国人がいたのは事実である。ちなみに「Japan as No.1」とは「見習うべきお手本としての日本」という含意であって、「Japan is No.1」という意味ではない。しかし、リスペクトされた日本企業は彼らに後れを取り、今や遠くを見上げる存在になった。

これはナイキだけでなく、今を時めくＧＡＦＡ（Google、Apple、Facebook〈Meta〉、

Amazon）についても似たことがいえる。彼らすべてとはいえないが、日本をリスペクトしてくれていたことは間違いない。

例えば、次章から紹介するように、アップルのスティーブ・ジョブズはソニーに憧れ、日本文化に恋した。グーグルＣＥＯはドコモをリスペクトしていると言い、提携を申し入れた。フェイスブック（メタ）が次の柱と狙うメタバースの、いわば先鞭《せんべん》をつけたのは任天堂やソニーなど日本のゲーム会社である。ジェフ・ベゾスはアマゾン・メカニズムを作るのに、トヨタ・システムを参考にした。

しかし、ＧＡＦＡの時価総額４社合計は今や日本の全上場企業の時価総額合計をはるかに上回っている。日本は完全に差をつけられ、時代からも取り残されている。

では日本はどうしたらいいのか？

ナイトは日本の若者に対しては、こんなメッセージを送る。

「私が学んだ人生で最も重要な教訓は、『最後まで挑戦し続けろ』。アメリカのビジネスパ

13　章末の［文献5］より。

ーソンにとっても、同じような時期がありました。リスクを取ることを恐れ、失敗を恐れていたのです。しかしその期間は短く、その後、シリコンバレーでは、たとえばテスラはリスクを取っています。これはあらゆる国で見られることです、あらゆる国でリスクテイカーは求められるのです」[14]

ナイトはさらにアメリカの将来に不安を感じている若者には、こんな言葉を送っている。

「その時に私が話すのは、１９６２年に見た荒廃した日本だ。がれきや廃墟の中から、伊藤、皇ら賢い人間が生まれたのだ。…私たちがやるべきことは、できる限り勉学と仕事に励むことだけだ。…誰もが混沌としたジャングルから学び取らなければならない」[15]

かつては「Japan as No.1」とお手本と見られた日本。しかし、今度は日本がナイキやＧＡＦＡをお手本として学ぶべきではないか。ナイトが言うように、混沌としたジャングルから学べばいい。情報革命の嵐が吹き荒れる現代のジャングルで格闘するＧＡＦＡを、今度は我々がリスペクトし、お手本として学ぶべきではないか。

GAFA as No.1

なぜ日本からＧＡＦＡが生まれないのか？

ＧＡＦＡのどこがすごいのか？　ここからはそれについて深く見ていこう！

14　章末の［文献５］より。

15　章末の［文献２］最終章より。

主な参考文献

［文献１］日経テレ東大学〝【五輪後の日本経済】大失速は避けられない？ 冨山和彦、森永卓郎と日本の未来を予測！｜FACT LOGICAL #1〃 YouTube (https://www.youtube.com/watch?v=7FjElr0wmDU)

［文献２］Knight, P. (2016) : *Shoe Dog : A Memoir by the Creator of Nike*, Scribner（大田黒奉之訳『シュードッグ』東洋経済新報社、２０１７年）

［文献３］鬼塚喜八郎『念じ、祈り、貫く—求める心が成功を導く』ブレーンセンター、２００１年

［文献４］Indigo¦Chapters *In Conversation: Phil Knight and Indigo CEO Heather Reisman* YouTube (https://www.youtube.com/watch?v=0EhX62tPsGw)

［文献５］「ナイキ創業者『日本人は挑戦できる人たちだ』」東洋経済オンライン (https://toyokeizai.net/articles/-/233100)

なぜ日本から ＧＡＦＡは生まれないのか

目次

第2章 グーグル（アルファベット）天才たちの研究パラダイスが生んだイノベーション

第3章 フェイスブック（メタ）

時価総額世界トップクラスに昇りつめた学生ベンチャー

第4章 アマゾン

エブリシング・ストア、そして宇宙インフラまで

終章

GAFAにあって日本企業にないもの
第三の波に乗ることはできるのか

図版制作：デザイン・プレイス・デマンド

第１章

アップル

“Foolish” がもたらす
ジョブズの感動イノベーション

Apple

アップルのビジネスとは？

ＧＡＦＡの中で、時価総額世界一を走るのがアップルだ。２０２２年１月には、瞬間的に世界の上場企業で初めて３兆ドル（約３５０兆円）を超え、１社だけで東証上場企業全体のおよそ半分とイーブンになった。

アップルはなぜそこまで巨大になり得たのか。その稼ぎ頭は、もちろんｉＰｈｏｎｅだ。２００７年の発売以来、アップルを支える大黒柱であり、今も収益全体の約半分を占める。ただｉＰｈｏｎｅはスマートフォンの中で高価格帯に属し、毎年のモデルチェンジで買い替え需要を刺激してはいるものの、近年はやや成熟の傾向にある。

一方、それを補うように伸びているのが「サービス」の収益だ。これには、「アップ・ストア」や「アップル・ミュージック」（音楽配信サービス）、「アップル・ケア」（アップル製品の保証サービス）等各種サービス経由の売上が含まれる。「サービス」は主にｉＰｈｏｎｅユーザーを対象にしたものなので、ｉＰｈｏｎｅの世界稼働台数約10億台超をベースに、さらに伸びるポテンシャルがある。

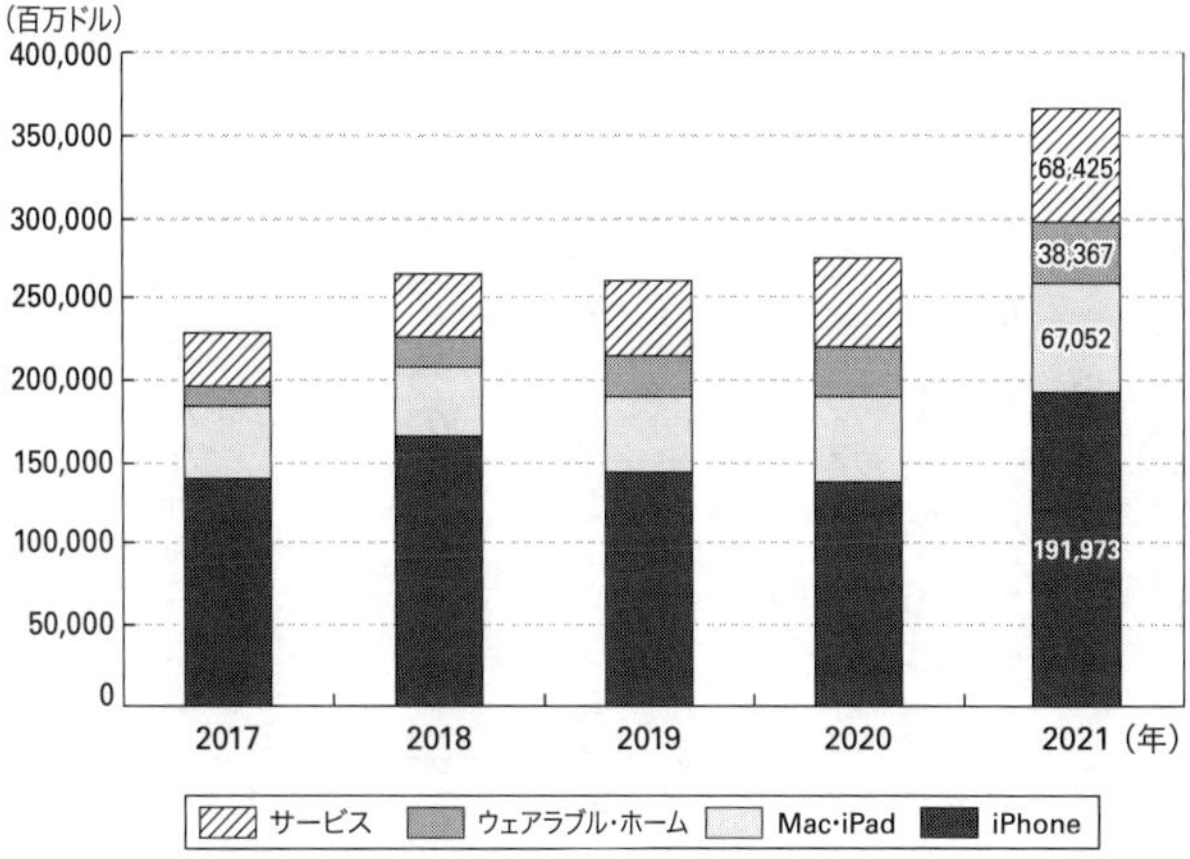

図表1-1　アップルの売上構成

サービス収益の中で最も大きいのが、アプリストア経由の収入だ。アプリストアでは、アップルのみならずサードパーティが制作したアプリも全世界に配信できる。ただしその時、アップルは有料サービス売上の30%を手数料として原則的に徴収する。この手数料収入はサービスに含まれているが、２０２０年に２００億ドル（２・３兆円）を超えたとみられる。近年、このアップル経済圏の「専横」には批判が集まっているほどだ。

ＥＶ（電気自動車）など新製品の噂が絶えない昨今だが、現在のところ「ｉＰｈｏｎｅありき」の企業といえる（図表１－１）。そんなアップルの創業は１９７６年。その創業者の一人がスティーブ・ジョブズである。

ジョブズは２０１１年に亡くなったが、ｉＰｈｏｎｅを世に出したのもジョブズなら、車好きの彼の構想にはｉＣａｒもあったといわれる。今もって「ジョブズありき」といわれるゆえんである。そんな世界一企業アップルの光と影を見ていこう（以降の歴史の記述は、章末に記載した参考文献をもとにしている）。

ジョブズのわがまま突破力

アップル社をスティーブ・ジョブズという個性抜きに語ることはできない。

ジョブズから経営を引き継いだティム・クックＣＥＯがいかに利益や時価総額を何倍に増やそうとも、アップル製品は今もジョブズが創った世界の中にある。

では、なぜジョブズはイノベイティブなプロダクトを次々と生み出すことができたのか。

イノベーションを起こすのは「バカ者、若者、よそ者」といわれるが、まさにジョブズはその最たる人だった。彼がスタンフォード大学の卒業式で語った有名な言葉「Stay hungry, Stay foolish.」に表現されているように、彼は「foolish（バカ者）」を自認していた人である。

ジョブズが自ら取材協力し、唯一の公式伝記といわれるウォルター・アイザックソンの

『スティーブ・ジョブズ』には、彼の愛妻ローレンが語った次の言葉が紹介されている。

「素晴らしい才能に恵まれた人の多くがそうだと思うのですが、あの人も、すべての面で非凡なわけではありません。たとえば、他人の身になって考えるといった社会的スキルは持ち合わせていません」[1]

また、ジョブズのあまたの女性遍歴の中で、１９８５年頃から数年間にわたって恋人関係にあり、ジョブズからの結婚申し込みを断った経緯のあるティナ・レドセは、こう語っている。この言葉も、ジョブズが認めた公式伝記の中に出てくるものだ。

「いろいろな意味で、あの人の残酷なところが耐えられませんでした。あの人を傷つけたくはないけれど、でもその横に立ち、あの人がほかの人々を傷つけるのを見るのも嫌でした。つらくて、疲れ切ってしまうのです」[2]

1　章末の［文献6］第40章より。

レドセは彼と別れた後、メンタルヘルスを学び、そこでジョブズが「自己愛性パーソナリティ障害」だと理解したという。

「腑に落ちることばかりで、いろいろ大変だったこともみんな説明がつくのです。あの人にもう少し親切になってほしいとか、もう少し自分中心なところを減らしてほしいとか思うのは、目の不自由な人にいろいろちゃんと見てほしいと願うようなものだったのだとよくわかりました。…共感する能力があの人に欠けていたことが」

今日、「パーソナリティ障害」や「発達障害」など「障害」という言葉使いは適切ではないと言われ始めている。むしろ個性で多様性の一側面であり、世の中に強いインパクトを与える仕事をするのは実はそうした人であることが多い。ちなみに、テスラのイーロン・マスクや環境活動家のグレタ・トゥンベリらは発達障害を自認している人たちである。そうした人たちは環境とうまくマッチすると、とてつもない力を発揮するのだ。

ジョブズの「他人の身になって考えない、自己中心さ」こそ、イノベーションのドライバーだった。彼には他人に〝共感する能力〟が欠けていても、人を〝共感させる能力〟に長けていたのだ。

「捨てられた」トラウマと野心

ジョブズのこんな性格はどこでどう育まれたのだろうか。

彼は１９５５年２月24日生まれ。父はシリア人、母はアメリカ人。どちらもウィスコンシン大学の大学院生で、貧しかったゆえに生まれた時からジョブズは養子に出されることが決まっていた。養父になったのは高校も出ていない機械工だったが、子供を大学まで行かせる約束で引き取った。

養父母は彼を大切に育てた。というより彼はわがまま一杯に育った。「自分は選ばれた特別な存在」と感じて育ったという。一方で、ジョブズは幼い頃に養父母から自分がシリア人の子で養子だと打ち明けられると、そのことに深く傷ついて「自分は捨てられた」存在と思

2　直後の引用も含め章末の［文献６］第20章より。

うようにもなった。

この「選ばれ」かつ「捨てられた」存在という二つの入り混じった屈折が、のちに数々の問題行動の要因になったようだ。ジョブズの親友で、アップルの創業にも関わったダン・コトケは次のように語っている。

「この苦悩こそジョブズの『世界を変えたい』という野心につながったと思う」[3]

小学生の頃には早くも目に余る問題児となり、学校を転々とした。中学校も飛び級で進学したものの、いじめにあい不登校となって1年もたたずに退学したという。

そこで、両親は評判のいい学校区を求めてサンフランシスコ・ベイエリアの住宅街ロスアルトスに転居する。のちにシリコンバレーと呼ばれるようになった地域の一角で、アップル創業の地となる場所だ。近所にはアップルを共に創業するスティーブ・ウォズニアックが住んでいた。

高校の卒業が近づいた頃、ジョブズは1年下の女性と同棲を始める。父親は烈火の如く怒ったが、彼は耳を貸さなかった。やがて彼女は子供を産むが、ジョブズは認知を拒否した。

さらに、進学資金を必死で貯めていた両親とは裏腹に、ジョブズは学費減免特典のあるカリフォルニアの大学ではなく、隣のオレゴン州の高い学費で有名なリード・カレッジを進学先に選んだ。蓄財をはたいて学費を工面してくれた養親に彼は冷たかった。養親が大学までの長い道のりを車で送ってくれた時も、キャンパスの中に入ることを拒み、感謝の言葉一つ返すこともなかった。

そんなリード・カレッジも半年で飽きると、ジョブズはドロップアウトを決める。この頃、彼を魅了したのは禅を中心とした東洋思想だった。大学の図書館に通い、精神世界の本を読み漁る。そのなかに鈴木俊隆が著した『禅マインド ビギナーズ・マインド』があり、これがジョブズのお気に入りだった。

ジョブズに人生を指南した日本人禅僧

リード・カレッジからカリフォルニアの実家に戻った18歳のジョブズは、今度は「導師に

3 章末の［文献21］より。

会いにインドに行く」と言い出し、コトケと共に旅立つ。二人はアジアの仏僧のような出で立ちで1カ月以上もインドを巡った。しかし、そこで出会ったのはあまりに貧しい人々と俗物の導師だった。

失望して帰ってきたジョブズは、鈴木俊隆が開いたロスアルトス禅センターを訪ねる。北米に禅宗を広めたのは「二人の鈴木」と言われ、一人は鈴木大拙、そしてもう一人が鈴木俊隆である。ジョブズが訪ねた1975年には既に俊隆は他界していたが、そこで禅僧・乙川《おとがわ》弘文《こうぶん》[4]と出会った。

屈折した感情と混沌とした時代の中で、湧き続ける人生の疑問に答えがほしいジョブズにとって、禅は魅力的だった。禅は表面的な頭の理解ではなく、内面の奥深い直感や体験に重きを置き、ジョブズにとても合っていた。彼は夢中になり、弘文の下に足しげく通った。自分の人生の師として尊敬し、弘文との交流はその後もずっと続いた。後年、ジョブズは次のように言っている。

「ただただ坐って自分を見つめると、…時とともに落ち着いて、普段はとらえにくいものが聞こえる余地ができる。その時、直感が花開くんだ。…肝が穏やかに据わり、今まで見えなかった、とてつもない広がりが眼前に開く」[5]

これは弘文が折にふれて語っていた言葉であり、悟りの境地を示唆するものだった。[6]

ジョブズが好んで使った「旅こそ報い（Journey is the reward.）」（「結果は問題ではなく、不可能への挑戦でもプロセスを楽しむことこそ大事」の意）は、禅の公案に由来するものである。

また先に紹介したスタンフォード大学卒業式でのスピーチの結び「貪欲であれ、愚直であれ

4　章末の［文献20］によれば、乙川弘文は1938年に新潟の曹洞宗の寺に生まれる。駒澤大学を経て、京都大学大学院仏教学専攻を修了した後、3年間永平寺で修行した。永平寺では特別僧堂生に抜擢されるなど認められたが、鈴木の僧侶派遣の求めに応じた永平寺が弘文をアメリカに送ったのである。弘文はカリフォルニア奥地タサハラに北米初の本格的禅道場タサハラ禅センターを開創。鈴木の死後はサンフランシスコ禅センターをサポートし、各地に禅道場を開き、スタンフォード大学などで禅の講座ももった。一方で、白人女性と結婚、別離、そして晩年の再婚など女性遍歴は多く、酒にも溺れるようになり、私生活では誤解を生んだ面が多い。旅先のスイスで、池に落ち溺れかかった5歳の娘を助けようとして、64歳で不慮の死を遂げる。しかし弘文の一生を克明に追った著者・柳田は最後に「やっぱり乙川弘文は、とてつもないスケールのお坊さんである」と結んでいる。

5　章末の［文献20］第2章より。

6　このジョブズの言葉は公式伝記［文献6］（章末）にも出てくるが、柳田由紀子は弘文の弟子が筆記した彼の法話記録の中に、同じ言葉を発見している。

(Stay Hungry, Stay Foolish.)[7]」は、禅の経典『宝鏡三昧《ほうきようざんまい》』に通じる言葉と考えられている。

そして、そんな彼が自分の気持ちの赴くままに衝撃的な製品を生み出し、事業へと突き進む背中を押したのも、弘文である。アップル・コンピュータを設立して間もない1976年に、ジョブズは「出家して、永平寺で本格的に修行がしたい」と弘文に真剣に訴えた。しかし、この時に弘文は「修行を続けながら実業家になるといい。事業と精神世界は矛盾しない」というアドバイスをした。のちにコトケはこう語っている。

「ビンゴだよね。世俗と一線を画し、霞を食べているような禅の師匠から『ビジネスの世界に行ってもいい』と承認を得たスティーブは、フルスピードで走りだした。というか、スティーブは承認を得たくて弘文を訪ねていたふしがなくもない。欠落感を抱いていたスティーブが、あるがままの自分でいいと思えるようになったのも弘文のおかげでしょう。だって禅って、『人は皆、そのままでブッダだ』って説いてるじゃん。若きスティーブにとって、…心の世界の師匠は弘文だったね[8]」

「人は皆、そのままでブッダだ」とは、ブッダが生まれた時に発した言葉「天上《てんじよう》天下唯我独尊《てんげゆいがどくそん》」のことと思われる。「自分が最も尊い」と曲解されることも多いが、「宇宙にただ一人の、誰とも代わることのできない人間として、この命のままに尊い」という意味である。

捨てられた自分のアイデンティティに苦悩してきたジョブズが、「このまま尊い自分」という肯定感を得た。ジョブズの確信を支えてくれたのは、弘文であり禅だったのだ。

ジョブズが晩年、新製品発表会などで常に着ていた黒のハイネック・シャツは三宅一生に100枚発注しストックしていたものだが、永平寺で雲水が着る黒い作務衣がモチーフと言われている。[9] 彼の盟友のデザイナー、ジョナサン・アイブと共に世に送り出した製品もシンプルな美しさをもっており、それは「ミニマリズム」と呼ばれ、装飾をギリギリまでそぎ落とした美しさは禅的である。

7　この言葉は、カウンター・カルチャーのカリスマ、スチュアート・ブランドが発行していた『ホール・アース・カタログ』最終号の写真に添えられていた。ジョブズはこの言葉が好きで、禅に通じる言葉と理解していたようだ。訳は書籍によって異なるが、ここでは禅門の教授による章末の［文献9］の訳を採用した。

8　章末の［文献20］第2章より。

9　章末の［文献9］第2部より。

「仏教、とくに日本の禅宗は素晴らしく美的だと思う。なかでも京都にあるたくさんの庭園が素晴らしい。その文化がかもし出すものに深く心を動かされる。これは禅宗から来るものだ[10]」

弘文が亡くなった時、ジョブズの友人でマウンテンビュー観音堂住職のレス・ケイが電話で訃報を伝えると、受話器の向こうでジョブズは「どうして？」と泣き、その泣き声が5分ほど響き続けたという。また亡くなる直前にも、サンフランシスコ禅センターに「永平寺に行きたい」と問い合わせてきたようだ。ジョブズの葬儀も家族に見守られるなか、禅僧が司った。

全力で走り出したジョブズと〝アルト強盗事件〟

１９７６年、アップル・コンピュータ（現在のアップル）が設立される。アップルを実質的に創業したのは「二人のスティーブ」、スティーブ・ジョブズとスティーブ・ウォズニアック（以下、ウォズ）である。

アップルがブレイクしたのはウォズが開発した「アップルⅡ」からだ。１９７７年６月に１２９８ドルで発売されたアップルⅡは、のちに「個人の発明としては20世紀有数の発明」とまで言われ、パソコン市場を切り拓く立役者となった。

この時、ジョブズの方は資金調達や製品のデザイン、広告宣伝やマーケティングにと大活躍した。しかし、ジョブズは何にでも口を出して自分の思い通りにしたがった。当時、アップルに多額の資金を提供し、経営にも携わっていたマイク・マークラは言う。

「（ジョブズの――著者注）専横がしだいにひどくなり、周囲の人間を酷評するようになりました。『クソみたいなデザインだな』などと平気で言うのです[11]」

ジョブズはどうしても自分が生んだものを作りたいと渇望《かつぼう》していた。なぜなら「アップル

10　章末の［文献9］第12章より。
11　章末の［文献6］第6章より。

Ⅱはウォズの功績」と世間は見ていたからである。１９８０年12月にアップルは株式を公開し、ベンチャーのトップランナーと見なされるようになる一方で、ジョブズは苛立っていた。「自分のマシンが必要だ。自分は〝宇宙に衝撃を与える〟ほどの製品が作りたい」と、野望が募るばかりだった。

その頃、新製品の開発案件があった。それは大衆向けの安価なコンピュータ、のちの「マッキントッシュ（マック）」開発プロジェクトである。ジョブズはこれを牛耳ろうとする。マークラたちは、何かと口を差し挟むジョブズを遠ざけられるなら、とそれを認めた。

ここで、ジョブズは「世の中にないものを創造した天才的クリエイター」と言われることが多いが、ジョブズの創ったものはほとんど見本となる先行モデルがあることをご存じだろうか。「イノベーションとは〝新結合〟」と言ったのはヨーゼフ・シュンペーターであるが、ジョブズの革新はまさに新結合なのだ。もちろん、その先行モデルに価値あるプラスアルファを乗せたのは、まぎれもなく彼なのだが……。

その見本第一弾と言えるのが、のちに業界史上最大級の〝強盗事件〟と言われた「アルト」であった。

きっかけは、ジョブズがマックの開発に頭を悩ましている頃にゼロックス社パロアルト研究所（通称：ゼロックスＰＡＲＣ）[12]を見学する話がもち上がったこと。ＰＡＲＣは、アラン・ケイなど天才たちが集まる研究所として有名だった。ケイは「未来を予測する最善の方法は、それを発明することだ（The best way to predict the future is to invent it.）」という言葉で有名なビジョナリーで、子供でも簡単に使える「ダイナブック」[13]という小型コンピュータを構想し、論文発表もしていた。

ＰＡＲＣは開発試作の宝庫だったのだが、当然、秘中の技術までは見せてくれるはずもない。そこでジョブズは一計を案じる。当時、アップルの増資計画にゼロックスのベンチャー・キャピタルが参加したいと申し出があったのを背景に、ジョブズはこう提案したのだ。

「ＰＡＲＣが着物の前をはだけてくれるなら、１００万ドルの投資を受け入れよう」[14]

12　ＰＡＲＣはスタンフォード大学のインダストリアル・パーク敷地内に１９７０年に創設された。集まった天才研究者たちのコラボで出来上がったのが「アルト」である。しかし、彼らはその扱いに困っていた。本社に事業化の打診をしたが、否定的な回答しか得られず、いろいろ有為な人物から意見を聞きたがっていた。

13　１９７２年に発表された。論文中に草むらで男の子と女の子が無線ネットワークで対戦ゲームをしているイラストが描かれていた。タブレットの下方はキーボードだったが、のちのｉＰａｄとよく似ている。

14　章末の［文献７］第２章より。

この投資で後にゼロックスは多額の利益を得る。しかし交渉の勝者はジョブズだった。

ＰＡＲＣでは、現在のパソコンの原型といえる「アルト」を完成させていた。ジョブズたちは、隠されていたアルトを見て目を見張る。

アルトは、ビットマップ・ディスプレイという技術を使ってディスプレイ上で文字や図形を自由に書くことができた。研究員の一人ダグラス・エンゲルバートが開発したマウスという機器を使って、ウィンドウを開いたり、図形の位置を自由に移動させることができた。そう。のちにグラフィカル・ユーザー・インターフェイス（ＧＵＩ）と呼ばれる技術体系である。また、レーザープリンタが開発され、画面上のフォントそのままにプリントすることもできた。さらに社内ＬＡＮが敷かれ、メール交換まで行われていた。

どれも今ではごく当たり前の技術である。だが、当時は腰が抜けるほど画期的だった。デモが始まって数分もしないうちに、ジョブズはそのすごさに気づいた。大革命と言えるアルト。ジョブズは部屋中を動き回り、「何で放っておくんだ⁉」と叫んだ。マックの開発の方向性はこれで決まった。ジョブズはマック開発のために優秀な人材採用に力を尽くす。飛び抜けて頭がよく、横暴な彼にユーモアを交えて押し返せるだけの、余裕や反抗心のある人材を探した。

現実歪曲フィールドとジョブズのリーダーシップ

ジョブズのリーダーシップを表現する有名な言葉に「現実歪曲フィールド（Reality distortion field：ＲＤＦ）」がある。これは、マック開発チームの技術リーダーがＳＦ番組『スタートレック』から思いついたのだが、「どんなに不可能に見えるスゴイことでも実現可能と、自分自身やまわりの人間を信じさせる力」という意味である。ウォズは正直な人物だが、そのウォズですらジョブズのＲＤＦのすさまじさを認めていた。

「論理的にあり得ない未来を見ているとき、彼は現実歪曲の力を発揮するんだ。本当のはずがないって皆が思うのに、彼はなんだかんだで本当にしてしまうんだ[15]」

15　章末の［文献６］第11章より。

ＲＤＦはマックの開発においても発揮されている。ある日、開発会議に現れたジョブズは、持っていた電話帳を机の上に放り投げると、「マッキントッシュをこれ以上大きくするのは許さない」と言ったという。

開発メンバーは青ざめた。電話帳は、今までの最小コンピュータの半分のサイズだったからだ。しかし、ジョブズのＲＤＦのこの一言で初代マックの姿が決まった。画期的な製品を作ろうという情熱は共有された。妥協はありえない。会議でジョブズの怒号が飛ぶのは、日常茶飯事だった。

「優れた人材を集めれば甘い話をする必要はない。…そういう人は、すごいことをしてくれると期待をかければ、すごいことをしてくれるんだ[16]」

それでも、部下たちは彼と働けて幸運だったと話す。独裁君主のようなジョブズから「クソったれ！」と罵られても、なぜ彼らは幸せだと感じるのだろうか。それは〝宇宙に衝撃を与える〟（ジョブズの言葉）ほどの製品作りに参加している、と感じるからであろう。マックの登場で開かれた新しい世界は、ジョブズが制作をリードしたマックのＣＭ「１９８４」にも表れている。

１９８４年1月のマック発売に際して制作された「１９８４」は、ジョージ・オーウェルの小説『１９８４』を下敷きにした、ＳＦ映画のような作りだった。監督は『エイリアン』や『ブレードランナー』で有名なリドリー・スコット。ストーリーはこんなだった。

スクリーンに映し出された支配者ビッグブラザーの下で、囚人服をまとった人々は洗脳され生気を失い、完全にコントロールされている。その聖域にハンマーを手にした女性アスリートが走って侵入し、スクリーンにハンマーを投げつける。すると大爆発が起こり、人々は洗脳から解放される。

もちろん、ビッグブラザーはビッグブルー＝ＩＢＭであり、人間をコントロールする道具としてのコンピュータを否定し、個人が持つパーソナル・コンピュータこそ人々を解放する、というメッセージである。ＣＭにマックは一切出てこない。女性が着るタンクトップの胸にピカソ風タッチでマックが描かれているだけだ。このＣＭは時代の空気と見事にマッチしていた。

16　章末の［文献6］第11章より。

この映像を取締役会で披露すると、役員たちは反対一色だった。しかし、マック発売日直前に行われたフットボールの大イベント「スーパーボウル」の全米中継のなかで、このＣＭが放映されるとその反響はすさまじいものとなった。各テレビ局がニュースで取り上げ、広告業界誌は「この10年で最高のＣＭ」と絶賛。カンヌ国際広告祭でグランプリを獲得するなど各賞を総なめにした。

スーパーボウルでのＣＭ放送から2日後、マックの発表記念イベントが株主総会を兼ねて行われた。当時のＣＥＯであるジョン・スカリーが業績説明をした時の退屈ムードは、ジョブズが登壇すると一変。「１９８４」が放映され、彼のプレゼンが始まると会場は喝采の嵐になった。大成功だった。

そして開発スタッフに対しても、ジョブズは感極まるイベントを用意していた。

発表会の日の午後、開発チーム１００人が会社に戻ると、ジョブズは駐車場に到着した１台のトラックの周りに全員を集めた。積荷は新品のマックが１００台。それぞれプレートが付けられ、チーム・メンバーの名前が刻まれていた。それを1台ずつ、ジョブズが手渡した。笑顔で握手し、全員の拍手を浴びながら……。[17] さらにマックの金属シャーシの内側には、ジョブズの指示で全員の署名が刻印されていた。

新製品のＣＭでグッとくる革命的な世界観を描き、その製品に自分の名前が刻まれていたら、開発者の苦労は吹き飛ぶに違いない。自分は〝宇宙に衝撃を与える〟製品作りに参加しているのだと……。まさに大聖堂の石工である（「はじめに」参照）。

これと比較すると、わが国のモノ作りはどうだろうか？

日本の製品はほとんど「人間の顔が見えない」と思う。多くの素晴らしい製品を、誰が作ったのかを我々は知らない。

２００５年に放映が終わったＮＨＫの人気番組『プロジェクトＸ　挑戦者たち』を見て、ビジネスパーソンたちが「いつかプロジェクトＸに取り上げられる仕事がしたい」と言っていたのを思い出す。しかし現実はどうだったか？

ビジネススクールにやって来る30～40歳代のビジネスパーソンと議論すると、「日本は就職ではなく、就社」といわれる会社勤めの実態がよくわかる。会社に勤めていて、それが社会にどうつながり貢献しているか、彼らにはピンときていない。会社には「社会貢献」と書

17　このエピソードは章末〔文献6〕の第15章などより。〔文献1〕の第1章には金属シャーシの内側に刻印された全員の署名が載っている。

かれた額に入った理念はある。しかし彼らは小さな歯車で、自分たちの製品・サービスと社会との関わりが実感できない。それを強く望みながらも……。彼らは「はじめに」で紹介した、石を黙々と削る第一、第二の石工のようだ。

こうして初代マックは鳴り物入りで登場した。ただ、目指した世界観は素晴らしかったものの、いかんせん当時の技術レベルが追いついていなかった。実際には売れなかったのだ。高価な割に容量不足で、ソフトも揃っていなかった。この出来事はジョブズの伝説となった一方で、会社の苦境を打開するためにジョブズ自身がスカウトしたスカリーからアップルを追われる要因にもなった。

ピクサーで感動コンテンツに目覚める

今日のアップルの売上の半分は、ｉＰｈｏｎｅが占めると冒頭で述べた。また利益面で貢献しているのは放っておいても自動的に入金してくるアップ・ストアの手数料である、とも。今や「法外」と言われ、訴訟にまで発展している「手数料率30％」だが、これを初めて押し通したのも、やはりジョブズである。

しかもそれはｉＰｏｄの音楽サービスで始まった。これは策士ジョブズの面目躍如であり、世界のレコード会社を狡猾《こうかつ》に丸め込んだ彼の功績である。

その顛末《てんまつ》を話すには、コンピュータの開発をしてきたジョブズがエンタテインメント・コンテンツに目覚めるキッカケから話す必要があるだろう。

アップルを追い出されていたジョブズが、復帰したのは１９９７年のこと。アップルに戻るまでの間に、彼は二つの会社を経営している。

一つはワークステーションの開発会社ネクストであり、こちらはのちにアップルの基本ＯＳとなるソフト提供につながった。そして、もう一つが有名な映画監督ジョージ・ルーカスから買収したコンピュータ・グラフィックス（ＣＧ）の開発会社（のちのピクサー）である。

買収のためにその会社を初めて訪問したジョブズは、ＰＲビデオを見て驚嘆する。デジタル画像はリアルで鮮やかで、スムーズに動いていた。彼はＰＡＲＣを見学した時の感激を思い出した。

「…わかったんだ。アートとテクノロジーを組み合わせるという面で、彼らはずっと先を行っているって。僕がずっと興味を持っている領域で、ね」[18]

「私はこの時、改めて思った。大事なのは技術ではなく、それを使って何を生み出すことができるかだ。…技術は短期間ですたれるが、生み出された物語は何十年、何百年と受け継がれていく。私がしたいのは性能の良いコンピュータを作ることではなく、コンピュータを使って感動を巻き起こすことなのだ」

ピクサーにはかつてディズニーから移籍してきた創造力豊かなアニメーター、ジョン・ラセターがいた。のちに、ラセターが監督・脚本を手掛ける初の長編フルＣＧアニメ『トイ・ストーリー』は大ヒットするのだが、このアニメの発注元はディズニーだった。

映画製作の門外漢ジョブズは、さすがに製作には口出ししなかったが、ディズニーとの交渉には自ら乗り出した。とはいっても、実績のないピクサーとディズニーでは力の差が大きすぎて足元を見られ、ピクサーは不利な契約を強いられる。例えば、配給収入の配分はごくわずかで、キャラクター商品の版権収入はディズニーが独り占めした。

しかし、１９９５年に映画が公開されると、興行収入Ｎｏ．１の大ヒットとなった。返す刀で、彼はディズニーとの不平等契約の再交渉に挑む。続編や新作が欲しいディズニーが今度は折れざるを得なかった。さらにジョブズは不平等契約を見事に覆しただけでなく、コンテンツ制作者と配給会社の契約実態をつかんだ。これはのちにジョブズのコンテンツ提供者との交渉力の肥やしとなった[19]（ピクサーの快進撃とともに、ディズニーから買収オファーを受け、ジョブズは最終的にディズニーの取締役かつ筆頭株主となり、コンテンツ業界の中心に身を置くまでになる）。

アップルをリビルドする

１９９７年、業績不振にあえいでいたアップルにジョブズが復帰すると、まず手始めに実行したのが、何とアップルの世界観の再構築だった。まだ新製品も出していない時に、またもや会社のアイデンティティをＰＲするＣＭを作ったのだ。

18 直後の発言を含め章末の［文献3］第6章および［文献21］より。
19 ピクサーを巡る顛末は章末の［文献15］より。

ＣＭの映像には歴史的な偉人が次々登場する。アインシュタイン、ガンジー、ジョン・レノンとオノ・ヨーコ、ピカソ、ダライ・ラマ……。そこにナレーションがかぶる。

「クレージーな人たちがいる。反逆者、厄介者と呼ばれる人たち。…彼らの言葉に心を打たれる人がいる。…称賛する人もけなす人もいる。しかし彼らを無視することは誰にもできない。なぜなら彼らは物事を変えたからだ。彼らは人間を前進させた。彼らはクレージーと言われるが、私たちは天才だと思う。自分が世界を変えられると本気で信じる人たちこそが、本当に世界を変えているのだから[20]」

最後の３秒間になるとアップルのロゴが表れ、「Think Different」の文字が浮かんで終わる。偉人の写真はジョブズが選んだ。「彼らは人間を前進させた」という言葉は、彼が挿入したものである。この広告は、またもや広告賞の類いを総なめにし、歴史に残る傑作となった。

ジョブズのすごさは、今にも倒産しかねない状態にある会社の再建のために、まず企業イメージ広告に投資して、制作したことだ。彼の言葉をなぞるならば「生み出されたのは何十年、何百年と受け継がれる物語」であり、人々に感動を巻き起こしたのだ。

製品も出てこないこの広告には二つの大きな効果があった、とアップル・ジャパンの元社員・河南順一は自らの著書で述べる。一つはもちろん、奇跡的ともいえるブランド力のアップ。これは後の新製品群に注目を集める布石となった。そして二つ目はアップル社員自体のマインドが大きく変わったことだ。自分たちは創造的破壊を行うディスラプターであるという自覚を取り戻し、どんな困難にも果敢にチャレンジしていく気概を持てたのだという。[21]

コンピュータ業界のソニーになりたい

１９９８年にルックスの可愛い個人用コンピュータｉＭａｃを発表してヒットとなると、アップルは黒字転換を果たす。しかし、業績的にアップルが大躍進したのはｉＰｏｄの発売からである。

20　該当のＣＭのナレーションを筆者が訳した。
21　章末の［文献19］のはじめにより。ジョブズの事業再構築についても同文献による。

２０００年４月のいわゆるＩＴバブルが崩壊した頃、ＰＣの役割が終わるという見方が広がり、関心もモバイルに移りつつあった。しかし、ジョブズはＰＣを変革する壮大な構想を打ち出す。ＰＣを脇役ではなく、「デジタルハブ」にするという構想である。

どういうことかというと、ＣＤプレイヤーやデジタルカメラ、ビデオカメラなどの周辺機器は、それぞれ別々に扱われ、記録メディアもマチマチでユーザーの使い勝手は極めて悪い。しかし、これらあらゆる機器をコンピュータにつないで同期すればＰＣで容易に管理できるはずだ。また、ＰＣをハブにすると、ポータブル機器はよりシンプルにできる。ウィンドウズ勢はハードとソフトを異なる事業者が分担しているので統合は難しいが、すべてをコントロールしているアップルならできるはずだ、と考えたのだ。

そこで、ジョブズはまず自分の好きな音楽に照準を合わせた。音楽管理ソフト「ｉＴｕｎｅｓ」の開発から始め、技術を持つベンチャーを買収した。

次に必要なのは、ポータブルの音楽プレイヤーを作ることだった。当時のプレイヤーではＣＤ１枚分の楽曲くらいしか持ち歩くことができなかった。まだ部品の技術レベルも低く、ジョブズの構想に叶うデバイスは揃わなかった。特に大容量の小型ディスクドライブがカギだった。

これを突破する朗報は、サプライヤーの一社である東芝を訪問したスタッフからもたらされた。まだ開発中だが、５ギガバイトの容量（１０００曲分）を持つメモリができるという。東芝には用途が思いつかなかったのだが、アップルはすぐ独占供給契約を取りつけた。こうしてｉＰｏｄが世に出ることになった。

ただ出来上がってみればｉＰｏｄは何のことはない、ジョブズ自らが言うように21世紀のソニー・ウォークマンである。これには、ジョブズのソニーに対するある思いがあった。

ｉＰｏｄ発表のちょうど2年前。１９９９年10月のアップル新製品発表会に、ジョブズはいつもと異なり、きちんとした身なりで登壇した。発表会の直前にはソニー創業者の盛田昭夫が亡くなっていた。

大型スクリーンに、ウォークマンを片手に微笑む在りし日の盛田が映し出される。そこには「Think Different」の文字が書き込まれていた。壇上でジョブズは追悼の辞を述べ、盛田との思い出話を語った。そしてこう続けた。

「アップルはコンピュータ業界のソニーになりたい[22]」

ジョブズはもともとソニーの大ファンだった。ジョブズの家には、ソニー製品がごろごろあったという。そのデザインはどれも美しく、持っているだけでワクワクした。[23]

かつて盛田はジョブズにウォークマンをプレゼントしたことがあった。ジョブズはその素晴らしさに打たれ、分解して中身を徹底して調べたという。音楽好きな彼はこれを作りたかったのだ。

他にもソニーに対するジョブズのリスペクトが垣間見えるエピソードがある。それは２００２年のこと。出井伸之社長時代のソニーを訪れると、カバンから発表したばかりのＭａｃＯＳを搭載したノートパソコン「ソニーＶＡＩＯ」を取り出して「どうだい？」と言ったという。

「ＶＡＩＯとＭａｃが一緒になって、新しい世界をつくらないか[24]」

この提案は、ソニー社内の意見が割れて実現しなかったが、両社の握手が実現していたら、どんな未来が待っていたのだろうか。それはともかく、少なくともこの頃までは、ジョブズのソニーに対するリスペクトに変わりはなかったのだ。

ビジネスも自己中心貫徹、獲得した料率30%

プレイヤーの見込みは立ったが、次の問題は音楽配信だった。音楽は著作権問題がうるさく、ソニーは音楽会社を持っていたがゆえに、消費者が望むような自由度の高い音楽販売を実現できていなかった。音楽会社や著作権者の利益基盤を守るためには、コピー容易なハードウェアの販売に神経質になっていたのである。

この壁を破ったのがジョブズである。策士はこう発信した。

違法の無料コピーを放置するわけにはいかない。これを合法的な仕組みに変えたい。その

22　章末［文献11］第5章より

23　ソニーのデザインポリシーを作ったのは大賀典雄である。大賀は東京芸術大学声楽科を出た後、ベルリン国立芸術大学音楽学部を卒業し、ソニーに勤務しつつプロの芸術家としてバリトン歌手やオーケストラの指揮などで活躍した。ソニー入社後、製造部長やデザイン室長を務め製品開発や改良を進める一方、広告部長とデザイン室長を兼務し、ＳＯＮＹのロゴ・デザインや製品デザインにインダストリアル・デザインをいち早く取り入れ、「ソニーデザイン」を確立した。

24　章末の［文献22］より。

ためには、ユーザーが音楽会社から楽曲を手軽に買える、適法のシステムが必要である。そのシステムとして「ｉＴｕｎｅｓ　Ｓｔｏｒｅ」を提案する、と。

ジョブズはこうしたロジックで、音楽会社の説得に乗り出した。

彼はいずれ音楽がネットを通じて、すべてダウンロードで購入される時代が来るのだから、技術規格はコピー容易なＭＰ３でなければならない。しかも、若者が衝動買いできる仕組みが必要だ、と説いた。そのために価格を安く抑え1曲99セントに、しかもアルバム単位で買うのではなく1曲単位で購入できることを説いた。

そして、レコード会社の取り分は70セントという条項が付け加えてあった。つまり、アップルの取り分は29セントである。ジョブズの思いつきで勝手に決めたともいえるルール。しかし、前例のない仕組みの提案だったがために、このルールはやがて定着してしまった。のちにアプリ販売一般のアップル手数料が30％になったのは、これが通ってしまったことがきっかけと考えられる。後年のアップルの暴利ともいえる莫大な利益基盤は、この時のジョブズの策と交渉力で形作られた。

「ｉＴｕｎｅｓ　Ｓｔｏｒｅ」に対して最初、レコード会社は抵抗した。当たり前である。ＭＰ３も料率も許しがたい。とりわけソニーは強く反発した。

ソニーにはデジタル・ウォークマンがあり、またグループ内にソニー・ミュージックエンタテインメント（ＳＭＥ）を持っていて、ｉＰｏｄと似た音楽配信サービスも小規模に始めていた。しかしカンパニー制（事業部制の一種）をとるソニーでは、それぞれの部門の主張が強く、方針がまとまらない。ましてＳＭＥなどのレコード会社は複数曲の入ったＣＤアルバムで利益を上げるセット販売が主流で、ヒット曲だけ買われてはたまらない。したがって抵抗が強かったのだ。

当時ＳＭＥのＣＥＯだったアンドリュー・ラックは、ジョブズとの交渉に臨み、「ｉＰｏｄの成功は音楽会社の協力に頼るのだから、ｉＰｏｄが１台売れるごとに（音楽会社が）一定額をもらってもいいはずだ」と主張した。この要求には合理性があった。

ただ、交渉術に長けたジョブズは、表面ではソニーの反論に理解を示しつつ、裏ではソニーを声高に非難する狡猾な作戦を展開した。他のレコード会社のトップは技術面に疎く、また海賊版に悩まされてきた経緯もあって、やがてジョブズの言い分になびく方向でまとまり始める。結局ソニーは孤立し、他社と共同歩調を取らざるを得ない立場に追い込まれた。[25]

ジョブズのすべてをコントロールする手法は「ウォールド・ガーデン（壁で囲まれた庭園）」と呼ばれている。「自分の実現したいものを強行するエゴイスト」が「あるがままの自分でいい」と背中を押された成果がこれだった。今日、世界のコンテンツ・プロバイダーから非難囂々《ひなんごうごう》の「手数料率30％」は、ジョブズの自我を貫いたイノベーションだったのだ。

ソニーが見上げるアップルの業績

図表１－２の財務諸表は、現在のアップルとソニーを同一縮尺で並べたものである（それぞれ最近の年度決算で決算期は異なる）。

売上で比較すると、アップルはソニーの５倍弱だが、純利益では10倍近い開きがある。アップルの利益構成は「製品売上－製品原価＝粗利１０５１億ドル（約12兆円、粗利率35％）」に対して、「サービス売上－サービス原価＝粗利４７７億ドル（約５・４兆円、粗利率70％）」である。製品の粗利率は、製造業一般とさほど変わりはないが、サービス売上の粗利は抜群である。ｉＴｕｎｅｓの手数料率の貢献がいかに多いかがわかる。

ソニーのバランスシートがＰＬ（損益計算書）と比べて相対的に大きいのは、金融事業のせいである。アップルのバランスシートも大きいが、それは「金融資産（現金有価証券＋市場性投資有価証券）－有利子負債＝実質的なネットキャッシュ約７５４億ドル（約８・６兆円）」と、つまりは手元にある余剰資金のせいである。

アップルの手元キャッシュは大きく膨らんでいたが、ジョブズの死後、株主から批判され、現ＣＥＯのティム・クックが株主還元重視に舵を切ったために大きく減少した。

クックがＣＥＯに就任した２０１１年当時、時価総額は約40兆円だったが、２０２２年には一時３兆ドル（約３５０兆円）を超え、今も世界一の座を守る（ソニーは２０２２年３月末時点で約16兆円）。ジョブズが否定的だった株主還元のための自社株買いも、２０１２年から２０２１年までの９年間で約50兆円に及ぶ。50兆円還元した後も、余裕の資金ポジションに変わりはない。

25　米国のＳＭＥがアップルに押し切られた後も日本のＳＭＥＪは最後まで抵抗した。当時の日本市場では米国と違いＣＤが売れ続けており（レンタルショップも貢献）、携帯の「着うたフル」も収益源であった。しかしｉＰｈｏｎｅが大ヒットすると、着うたの売上は激減し、２０１２年11月にあっけなくソニーは陥落した（章末の［文献11］第３章より）。しかし後に大きな弊害が生じる。アップルの一人勝ちで、アーティストなどへの配分が減り、音楽業界低迷の要因になる。２０２０年12月にボブ・ディランが自作曲約６００の著作権を３億ドル（推定）で売却した背景にもなったといわれている。

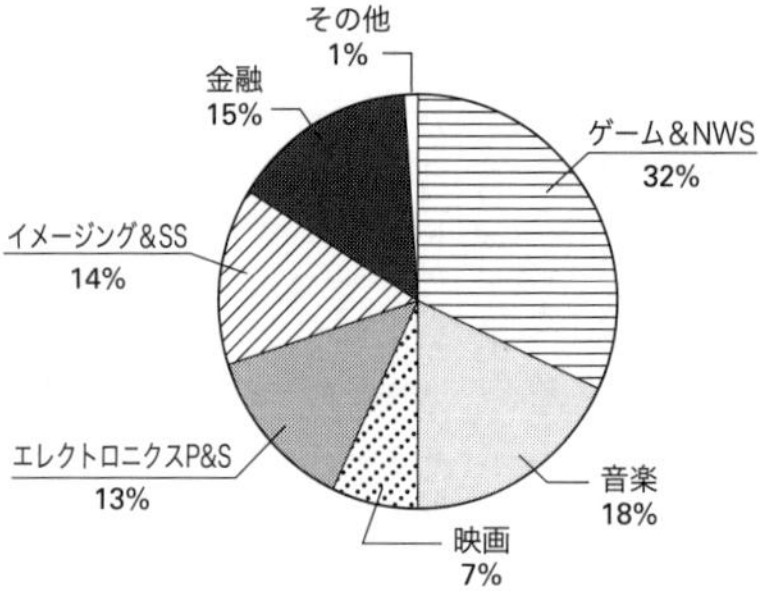

ソニーグループのセグメント営業利益
（全社共通費控除前）

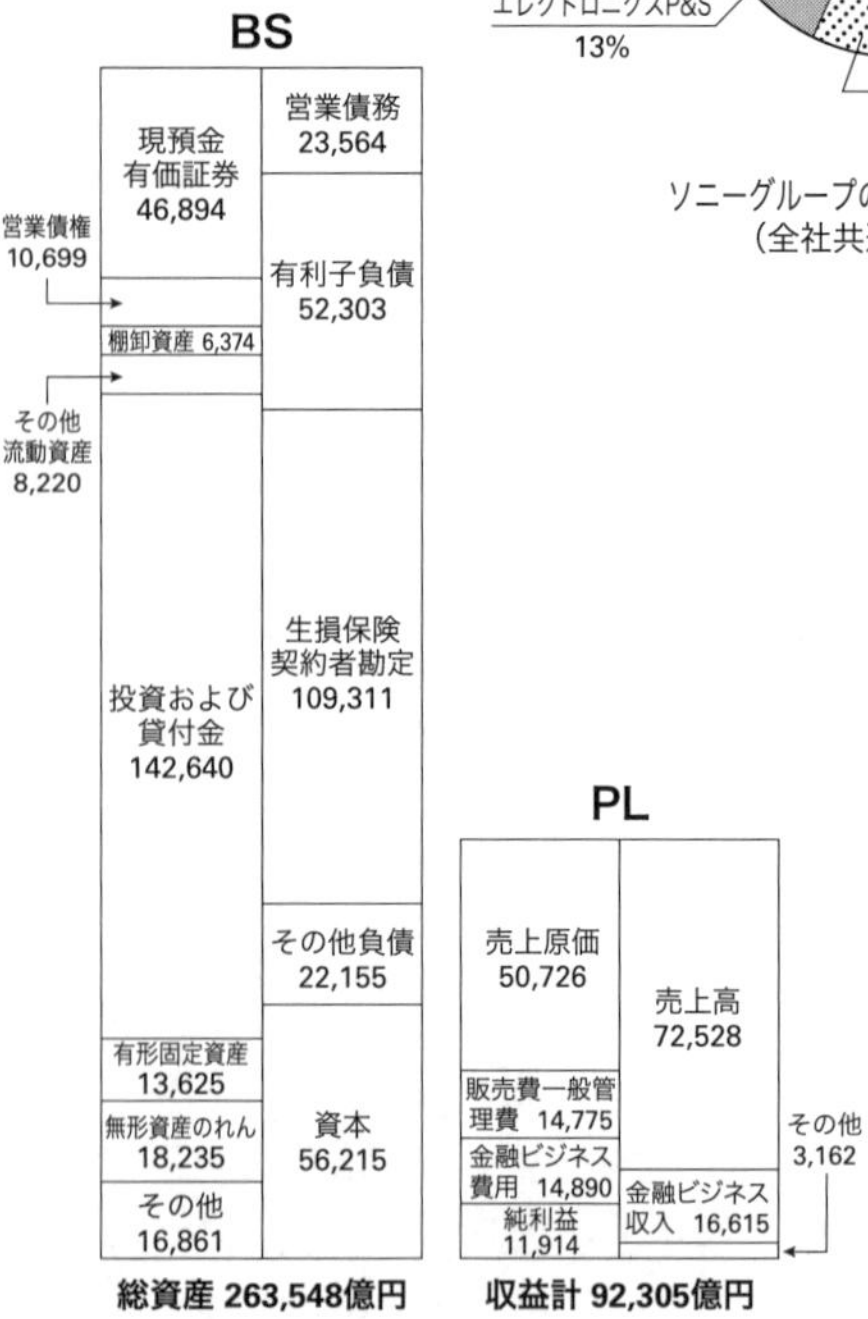

ソニーグループ
（2021年3月期、単位：億円
115円/ドル換算でアップルと同一縮尺）

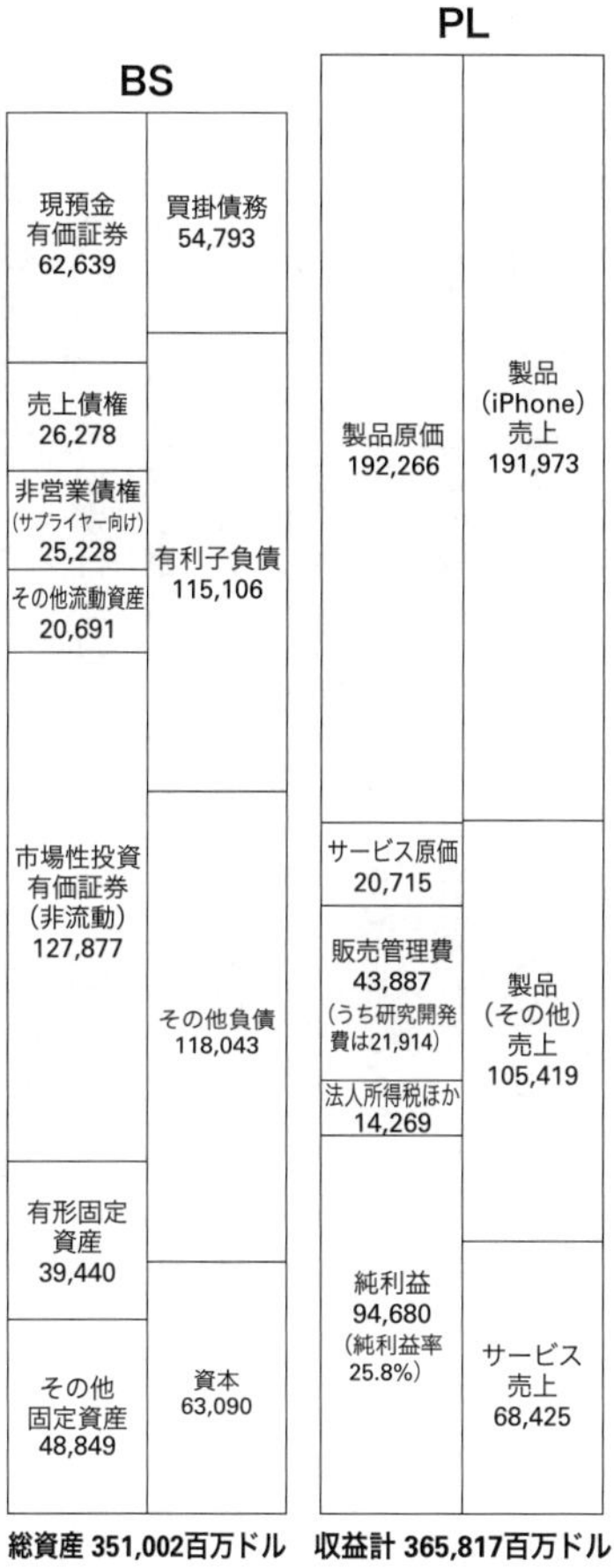

アップル
(2021年9月期、単位：百万ドル)

図表1-2　アップルとソニーグループの財務諸表比較

「テクノロジー×リベラルアーツ」の結晶

ｉＰｏｄが爆発的に売れ、アップルの売上の半分近くを占めるようになった２００４年当時、アップルに新しい脅威が浮かび上がった。それは携帯電話の普及である。携帯の機能はどんどん拡張され、カメラが搭載されるとデジタルカメラの市場が食い荒らされた。携帯に音楽プレイヤーの機能が載るトライは既に始まっていて、それが普及すれば消費者がｉＰｏｄを必要としなくなるのは明らかだった。

したがって、アップルにとって「電話のできるｉＰｏｄ」の開発は必然だったのだ。

最初はモトローラなどとの提携で共同開発を計画した。しかし、提携先との技術の寄せ集めと妥協の結果、出来が悪くなり、ジョブズはうんざりした。

「自分たちでやろう」

この頃アップルでは、タブレット・コンピュータの開発がスタートしていた。後のｉＰａｄとなる案件だが、ジョブズはキーボードもスタイラスペンも使わず、直接指でタッチして操作するタブレットを作る、とスタッフに宣言していた。

マルチタッチ機能については、薄型パソコンＭａｃＢｏｏｋのトラックパッド用のタッチ機能をスクリーンに利用できないか検討していた。このアイデアが使えれば、携帯電話のインターフェイスも同じようにできるはずだ。そこでタブレットより携帯の開発を先行させることになった。

トラックパッド用のタッチ機能を開発していたベンチャーを買収し、彼らを中心にタッチスクリーンの開発を進める。やがて、デザイン・スタッフが大きな試作パネルをもってきた。グーグルマップを指で拡げて、アップル・キャンパス（アップルの本社）を拡大して見せると、皆が「ワッ！」と息をのんだ。

「これが未来だな。…ハードウェア・キーボードは楽な道に見えるけど、それは大きな制約になる。スクリーン上でキーボードをソフトウェア的に実現した時、どれほどのイノベーションが可能になるか考えてみろ。これに賭けよう。それでうまくいくようにするんだ[26]」

26　章末の［文献6］第35章より。

この意思決定は、ジョブズの言うとおり大きなイノベーションとなった。電話する時には数字のパッド、文字入力したいときはタイプライターのようなキーボード、別の用途では別のボタンが表示されるマルチな機器。バージョンアップも容易だ。しかもこのおかげで、画面を目一杯に動画も楽しめる。ハードウェアをソフトウェアで置き換えた結果、インターフェイスが流動的で柔軟になったのだ。[27]

試作機にはいろいろなアイデアが盛り込まれた。例えば、ユーザー・インターフェイスのデザイナーが「慣性スクロール」を提案してきた。これはスワイプするとスクロールに加速度がつき、画面から指を離すと遅くなる。そしてリストの最後に来ると、跳ね返ってくる。この仕組みに、ジョブズは大喜びする。[28]

こうして面白いアイデアがいろいろ出て、一つ一つ作り込まれていった。

スクリーンの表面は最初の案ではプラスチックだった。しかしそれではすぐに傷が付く。強いガラスが必要だった。そこでジョブズはコーニングガラス社ＣＥＯのウェンデル・ウィークスに直接連絡を取り交渉した。コーニングには１９６０年代に開発した「ゴリラガラス」という、信じられないほど強いが、市場が見込めず製造に至らなかったものがあった。

ジョブズは、半年でできるだけ多くのゴリラガラスを作ってくれと頼む。「作る工場がないので作れない」というウィークス。ジョブズは彼をじっと見つめて言った。

「心配はいらない。…できる。君ならできる。やる気を出して頑張れ。君ならできる」

ジョブズの「現実歪曲フィールド」が発動した。後にウィークスはこう述懐する。

「6か月もかからずにやり遂げました。それまで作られたことのないガラスを作ったのです[29]」

LCDディスプレイの工場を突貫工事で転用し、トップクラスのエンジニアを投入して、無理やりフルタイムで生産したのだ。

27　このiPhone開発のエピソードは章末の［文献6］第35章より。
28　章末の［文献17］第1章より。
29　直前の発言も含め章末の［文献6］第35章より。

ガラスの目途はついたが、ケースも問題だった。当初はアルミ製で、ケースの存在感が強く美しくなかった。ステンレスにすることにデザイナーのジョナサン・アイブも同意見だった。しかしデザインが変わると、内部もほぼ作り直しになる。プロジェクトは終盤だったが、ジョブズはデザイン・チームにこう宣言する。

「みんな、ここ９カ月、このデザインで必死にやってきたわけだが、これを変えることにした。これから全員、夜も週末も働かなきゃいけなくなった。希望者には、我々を撃ち殺す銃を配布する」

「あれは、アップルをとても誇りに思った瞬間だった[30]」

２００７年１月、新製品発表会はいつものジョブズらしいプレゼンで始まった。[31]

「１９８４年、僕らはマッキントッシュを発売した。これでコンピュータ業界全体が大きく変わった。

２００１年、僕らは初代ｉＰｏｄを発売した。これで音楽の聴き方だけでなく、音楽業界全体が大きく変わった。

今日は同じくらい革命的な製品を３つ紹介する。まず最初は、タッチコントロール機能を持つワイドスクリーンのｉＰｏｄだ。２番目は、革命的な携帯電話。そして３番目。インターネット・コミュニケーション用の画期的な機器だ。３つに分かれているわけじゃないんだ。実は一つ。

ｉＰｈｏｎｅっていうんだ。

今日アップルは電話を再発明する！　これがそうだ[32]」

30 直前の発言も含め［文献8］第3章より。

31 章末の［文献4］によれば、ジョブズのプレゼンは彼が満足するまでスタッフが数百時間もの手間暇をかけて制作される。台本にプロの手を借りることもあり、リハーサルを入念に繰り返して本番に臨むという。

32 章末の［文献4］より。ジョブズは電話のビジネスモデル自体も再発明してしまった。それまで業界のリーダーは通信キャリアだったが、これをアップルがひっくり返した。ｉＰｈｏｎｅの人気を後ろ盾にアップルの取引条件を厳しくし、端末の販売粗利は10％程度と少なく、キャリアや端末販売店は短期的に儲けることが難しくなっている。以上は章末の［文献11］第4章より。

初代ｉＰｈｏｎｅでは、アップル以外のデベロッパーから買えるアプリは一つもなかった。完全にコントロールしたいと考えるジョブズが、嫌ったからである。しかしアップルが審査し、厳格な基準を満たしたものだけを承認する方針に転換した。これが「アップ・ストア」となり、アップルにとって莫大な収益源となった。

またユーザーにとっても使い方の幅が大きく広がり、同時に新産業育成の効果も生むことになった。新しいアプリを開発する個人、ベンチャー、大小のメディア企業が数えきれないほど立ち上がったのだ。[33]

ｉＰｈｏｎｅは発売２カ月半で１００万台売れた。２０１１年10月に発売されたｉＰｈｏｎｅ ４Ｓに至っては、１日で１００万台に到達した。アップルは明らかに別格の企業となった。

ｉＰｈｏｎｅをはじめ、なぜ革新的な製品をジョブズは生み出すことができるのか。それは彼の哲学にヒントが見出せるだろう。ｉＰａｄの基調講演の最終スライドで、ジョブズはテクノロジーとリベラルアーツ通りの交差点を表す道路標識（図表１－３）を見せながらこう話した。

図表1-3　製品開発におけるジョブズの哲学

「iPadのような製品をアップルが作れるのは、テクノロジーとリベラルアーツの交差するところに位置しているからだ。この二つのベストな組み合わせが、きわめて先進的な製品を生み出すことにつながっている。それらの製品は直感的であり、使っていて楽しくなるものである。ユーザーにフィットしている。ユーザーは製品に自分自身を合わせる必要はない。製品の方がユーザーに合わせるからである[34]」

ユーザーの感動体験全体をデザイン

ジョブズのいう「テクノロジーとリベラルアーツの交差点に立っている」とは、どういう意味だろうか。

ジョブズがデザインしたのはユーザーの感動体験全体である。そして、それを裏で支えるビジネスの仕組みの革新である。ｉＰｏｄはｉＴｕｎｅｓがあって初めて、有効に機能する。ｉＴｕｎｅｓは音楽会社の協力が条件である。その協力の中身は、音楽会社にとっては厳しいが、ユーザーには優しい。「買った製品の箱を開ける」時の体験もユーザーの感動にとって欠かせない、とジョブズは考えるから、箱の開発に力を籠める。

そして、それは製品を買う店舗も同様だ。

最高の顧客体験から見てコントロールできていないものが一つある、とジョブズは考えていた。それが「店でアップルを買う」という体験である。巨大な小売チェーン店では、アップル製品は他社製品の隣に並べられる。販売員の製品知識も乏しく、しかも彼らは報奨金の多いウィンドウズ製品を勧めるのだ。そこで、ジョブズはアップルの直営店を持つことを提案した。

このアイデアに取締役会は難色を示した。メーカーの直営店は失敗例が多く、デルは無店舗の直販で成功していたからだ。ジョブズは本社近くにプロトタイプ店を試作し、スタッフを集め、念入りに検討を重ねていった。

最終的に店にはシンプルを極めた真っ白にきらめくカウンターがあり、製品が並べられた。正面には、ジョンとヨーコがベッドに座るThink Differentのポスターを投影。店の中央には、こだわりのシースルーの階段が設置され、他にもトイレのサインの色合いに至るまでほとんどジョブズが決めた。こうしてアップルストアは２００１年５月に、米ヴァージニアとカリフォルニアで2店舗が開店を迎えた。

最初、メディアの評価は散々だった。小売の専門家たちも「2年もすれば店の明かりは消え、膨大な損失と痛みで大いに後悔するだろう」と囃《はや》した。

33　章末の［文献6］第38章より。グーグルCEOのシュミットはアップルの社外取締役を務めていたが、２００８年にアンドロイド端末を発表すると、ジョブズは激怒し特許侵害の訴訟を起こした。画面操作のマルチタッチ機能（スワイプやピンチなど）などについて削除を要求し、グーグルは初号機でそれらを削除した。

34　章末の［文献6］第38章より。

ところが、店が次々とオープンするたびに大行列ができる。２００３年に開店した東京銀座店にも５０００人の行列ができ、アップルが新製品を発表すると、それを待ち望んだ人々が徹夜で並んだ。

やがて、ストアの単位面積当たりの平均売上はどの高級ブランドショップをも上回り、小売店の大成功例となった。スコット・ギャロウェイは、アップル成功の決め手がｉＰｈｏｎｅではなくアップルストアだと指摘する。「テック企業を高級ブランドに変えた」と。[35]

ジョブズの使ったリベラルアーツという言葉は、元々古代ギリシャ・ローマの「自由人の科目（アルテス・リベラレス：Artes Liberales＝文法、修辞、弁証、算術、幾何、天文、音楽）」がルーツである。「自由人が生きるための学問」「人間を自由にする技」がリベラルアーツであり、その反対語は「奴隷の科目（アルテス・セルヴィレス：Artes Serviles＝実利的職業的技術・専門性）」である。

つまり、ジョブズは「奴隷の科目」いわゆる実利的な技術や専門性を自分の思うままに束ね、ねじ伏せ、「自由人の科目」の見識で消費者を自由な世界へと誘《いざな》ったのだ。彼の言葉から見れば、さしずめ日本企業は「奴隷の科目」に長けた人々だ。ジョブズのような自由人に、いいように使われる技術屋・専門家……。

終章で述べるように、現代は「第三の波＝情報革命」という革命期にある。革命期には既成の古い体制を壊し、新しいイデオロギーの下で、新しいテクノロジーを使って社会やインフラや生活を作り直す必要に迫られる。全体を作り直すのだ。その時、新しい世界観をリードするアルテス・リベラレスが必要になる。アルテス・セルヴィレスを従えて……。それがジョブズの「テクノロジー×リベラルアーツ」の意味だろう。ジョブズは、モノづくりとアーティスティックな創造性を新結合した稀有なイノベーターだったのだ。

ところで顧客のためとはいえ、こんな専横のリーダーシップが日本で可能だろうか。きっと「まず無理！」と誰もが思うだろう。日本ではワガママは敵なのだ。ジョブズは自分の美意識をワガママに執拗に貫いた人だ。

35　章末［文献16］第3章より。

暴君ジョブズの経営スタイル[36]

ジョブズの経営スタイルは、まるでビジネススクールの教えをバカにしているかのようだ。リーダーは高圧的な暴君かつ「細かい上司（マイクロ・マネジャー）」であり、社員は上からの命令に従うことを強要される。また経営に透明性が必要といわれる時代に、ジョブズは秘密主義を敷いた。

それはとにかく徹底している。採用された社員は、どんな仕事に就くか知らされない。社員の半分ほどが秘密プロジェクトに関わっているが、自分の仕事を他の社員にすら話すことはできない。たとえ家族であっても、秘密を外に洩らせば即クビである。あるいは訴訟を覚悟しなければならない。

新しいプロジェクトが始まれば、突然工事業者が入ってきて、ガラスはすりガラス、または窓のない部屋に変わる。セキュリティ・バッジが変更され、担当以外の役員も入れなくなる。特にデザイナーが働くＩＤｇ（インダストリアル・デザイン・グループ）は秘境中の秘境だ。

広報部もあるが、既存製品のことを一方的に話すだけ。発売前の製品計画や今後のイベント予定、幹部の個人情報などは話してはならない。投資家に対しても同じである。ジョブズは投資家に会わないＣＥＯとして有名だった（アップルの謎めいたサプライチェーンが明らかになったのは、ジョブズの死後のことである。しかも中国下請け工場の過酷な労働環境が国際問題になり、情報公開せざるを得なくなってからだ）。

一方、アップルが秘密を一切漏らさないのとは対照的に、サプライヤーの企業秘密はアップルに筒抜けである。例えば、初代ｉＰｏｄの裏蓋をピカピカに磨いていたのは、新潟県燕市の中小企業だった。ジョブズの盟友のデザイナー・アイブが惚れ込んだその技術は、１個の加工賃が１００円ほどだったが、職人の手作業によるものだった。しかしｉＰｏｄが爆発的に売れるようになったある日、「ちょっと作業風景を撮影させてほしい」と申し入れがくる。下請けの立場上断れずにいると、３日間の撮影と調査が行われ、やがてその仕事はなくなった。安い人件費で大量にこなせる中国に、工程を移転してしまったのである。

また原価も徹底的に調べ上げるので、アップルの値下げ要求はいつも執拗だった。[37] アップ

36　アップルの内部情報の記述は特に注記のない限り［文献8］および［文献11］に多くよっている。

ルはなぜ秘密主義なのか。ジョブズ復帰前は、何でもオープンの会社だった。むしろ自分のプロジェクトに世間の注目を引くために、スタッフは情報を漏らしていた。

それをジョブズが変えた。その理由はディズニーから学んだという。「魔法の王国」で舞台裏を見せるのは興醒めなのだ。確かに、ディズニーランドでは舞台裏が見えない工夫が徹底されている。だからアップルの製品も、同じように発表直前まで秘密が貫かれる。新製品がベールに包まれていれば、とてつもなく価値の高い注目と期待が生まれるのだ。

また、この秘密主義は会社運営にも大きく影響している。例えば、アップルでは「組織図」も公には発表されていない。ジョブズ一人が全体を把握し、副社長約70人（２０１１年時点）に機能別の役割がふられている。

だから「利益責任単位」はたった一つ。ＣＦＯを通じてジョブズが握っていた。他の役員は他人の分野を知る必要はなく、したがって、例えばデザイン担当役員は財務のことは全く知らなかった。

ちなみにアップルの会議サイズは最小で、ｉＰｈｏｎｅのようなビッグ・プロジェクトの会議でも１００人を超えることはなかった。ジョブズがファーストネームを憶えられる範囲を超えてしまうからだ。適正サイズを超える時は、誰かを外した。多くの人間を巻き込み保険をかけるような行き方は、メンバーに自信が持てないことを意味する、と彼は考えていた。有能な人材を集められれば、少数の方がはるかに革新的なことができるはずだ、と。

アップル社員だった河南は、ジョブズが出席した20人ほどの会議に同席した時のことを強烈に憶えている。出席者の一人がノートを取り出すと、ジョブズが言った。

「なんでノートなんか出すんだ。…会議に参加してノートを取らなきゃならない人間なんか、この会社にはいらない[38]」

場の空気は一瞬で凍った。しかし会議は参加者全員が各自の知見をぶつけ合い、最高のものを生み出す場であり、重要なことなら忘れるはずがない。全身全霊で貢献する気がない人間はそこにいる必要がない、というメッセージと受け取ったという。

37　章末の［文献11］第1章より。
38　章末の［文献19］第4章より。

ジョブズの〝遺産〟

ジョブズは「社内合意は破壊的イノベーションの敵だ」と考えていた。

モーターショーのコンセプトカーのデザインがうっとりするほど美しくても、実際に出てきたモデルがつまらないものになるのは、開発や製造が寄ってたかって「そんなものは作れない」とぶち壊しにしてしまうからだ、と彼は言う。だからトップがディスラプションを起動するチームを支える必要がある、と。[39]

ジョブズのコンセプトカーの例え話は、よくわかる。著者の一人・山根は、グッとくる美しいショーモデルが発売される段になって台無しになった件を開発責任者に聞いたことがある。答えは決まって社内ポリティクスの話であった。「あの形状は生産コスト高になると製造からクレームがついた」「ここを通してもらったので、あちらは譲った」というような……。こうしてイノベーションは妥協と調整で挫折するのだ。一方で、暴君に仕える社員も大変だろう。アップルで働くことがただ楽しいという人は、ほとんどいないと言われている。

「社員同士の闘いは熾烈で個人攻撃にもなりうる。最高の製品を作るためなら、だれかをコテンパンにしてもいいというメンタリティがある」

「最優秀を競う文化なんだ。自分は鎖の弱い環になりたくない。…みんな本当に一生懸命働いているよ。全身全霊を傾けて[40]」

２０１１年８月、アップルはジョブズの辞任とＣＯＯであるティム・クックの新ＣＥＯ昇任を発表した。ジョブズはその４年ほど前から、癌に侵されていた。クックが初めてＣＥＯとして壇上に上がったｉＰｈｏｎｅ　４Ｓ発表イベントの翌日、２０１１年10月５日にジョブズは家族に見守られながら、56年の生涯を閉じた。

後継者となったクックは、ジョブズとは対照的な人である。もともとＩＢＭでＰＣ製造部門に関わり、トヨタのジャストインタイム生産方式（ＪＩＴ）のパイオニアだった人だ。勤

39　章末の［文献19］第7章より。
40　直前の発言も含め章末の［文献8］第2章より。

勉で深夜まで働く猛烈人間で、就任後はジョブズの育てたアップルの文化を忠実に守ると宣言した。

しかし、ジョブズも生前に「ティムはプロダクト開発の人間ではない」と言っていたように、ｉＰｈｏｎｅ以降、画期的な製品は生まれていない。財務諸表にも表れていたように、現在も売上の半分強がｉＰｈｏｎｅなのだ。そんなｉＰｈｏｎｅも成熟の兆しがある。

アップルは今日、様々な批判に直面し、問題を抱えている。

一番の問題は、先にも述べたように独占的な立場から手数料率30%を徴収する「儲け過ぎ」への批判である。クックはこの料率を売上規模の低い事業者に対して、半分に引き下げる決定を下している。他にもジョブズがほとんど興味を示さなかったＳＤＧｓへの対応や、情報遮断・人権侵害で問題視される中国への依存度の高さなども懸念されている。ジョブズの専横によって築かれた、今日の世界時価総額トップの座を、勤勉な実務家クックが必死に守り抜こうとしている、といった構図であろうか。

日本企業にジョブズがいたら

ここまでで「ジョブズのスタイルは日本には合わない」と思われただろう。

しかし、ジョブズの人生を支えたのは日本人禅僧であり、ジョブズの美意識が憧れたのは日本文化であり、ソニーである。こうしたナイキと似たような事実には、何か忸怩《じくじ》たるものを感じないだろうか。

新しい解を探索していかねばならない時代には、先頭を走る、愚直に自らの信じる道を突っ走るリーダーが必要だ。それは抵抗する人々に忖度《そんたく》しない「foolish」な人物である。抵抗をものともしない野蛮さと、それを支える熱量が必要だ。それは「hungry」な人物だ。

「Stay hungry, Stay foolish.」

もし日本が本気で革新を望むなら、こんな人物を何人、探索に走らせることができるかにかかっているといえるだろう。

もちろんジョブズのスタイルがすべてではない。グーグルやフェイスブックやアマゾンも、それぞれに異なった探索のやり方があり、解となりうるスタイルは様々ある。

しかし、もしジョブズのような強烈な変人を、みんなで寄ってたかって叩き潰す文化をこれからも続けるなら、我々は「日沈む国」となることに甘んじなければならない。

主な参考文献

［文献１］Linzmayer, O. W. (2004)：*Apple Confidential 2.0*, No Starch Press.（O.W.リンツメイヤー、林信行著、武舎広幸他翻訳協力『アップル・コンフィデンシャル２・５Ｊ』〈上・下〉アスペクト、２００６年）

［文献２］Simon, W.L. & Young, J.S. (2005)：*iCon : Steve Jobs, The Greatest Second Act in the History of Business*, John Wiley & Sons.（井口耕二訳『スティーブ・ジョブズ』東洋経済新報社、２００５年）

［文献３］Wozniak, S. (2006)：*iWoz*, W.W. Norton & Company.（井口耕二訳『アップルを創った怪物：もうひとりの創業者、ウォズニアック自伝』ダイヤモンド社、２００８年）

［文献４］Gallo, C. (2010)：*The Presentation Secrets of Steve Jobs*, McGraw Hill Companies, Inc.（井口耕二訳『スティーブ・ジョブズ驚異のプレゼン—人々を惹きつける18の法則』日経ＢＰ、２０１０年）

［文献５］Elliot, J & Simon, W.L. (2011)：*The Steve Jobs Way : iLeadership for a New Generation*, Vanguard Press.（中山宥訳『ジョブズ・ウェイ：世界を変えるリーダーシップ』ソフトバンク・クリエイティブ、２０１１年）

[文献6] Isaacson, W. (2011) : *Steve Jobs : The Exclusive Biography*, Little, Brown.（井口耕二訳『スティーブ・ジョブズ』〈Ⅰ・Ⅱ〉講談社、２０１１年）

[文献7] 高木利弘『ジョブズ伝説』三五館、２０１１年

[文献8] Lashinsky, A. (2012) : *Inside Apple : How America's Most Admired -and Secretive- Company Really Works*, Grand Central Publishing.（依田卓巳訳『インサイド・アップル』早川書房、２０１２年）

[文献9] 石井清純監修、角田泰隆編『禅と林檎：スティーブ・ジョブズという生き方』ミヤオビパブリッシング、２０１２年

[文献10] Segall, K. (2012) : *Insanely Simple : The Obsession That Drives Apple's Success*, Portfolio.（林信行監修解説、高橋則明訳『Think Simple：アップルを生みだす熱狂的哲学』ＮＨＫ出版、２０１２年）

[文献11] 後藤直義、森川潤『アップル帝国の正体』文藝春秋、２０１３年

[文献12] Kahney, L. (2013) : *Jony Ive: The Genius Behind Apple's Greatest Products*, Portfolio.（関美和訳『ジョナサン・アイブ：偉大な製品を生み出すアップルの天才デザイナー』日経ＢＰ、２０１５年）

[文献13] Kane, I.Y. (2014) : *Haunted Empire: Apple After Steve Jobs*, William Collins.（井口耕二訳『沈みゆく帝国：スティーブ・ジョブズ亡きあと、アップルは偉大な企業でいられるのか』日経ＢＰ、

２０１４年）

〔文献14〕国際文化研究室編『人生を変えるスティーブ・ジョブズ スピーチ』ゴマブックス、２０１５年

〔文献15〕Levy, L.（2016）：*To PIXAR and Beyond: My Unlikely Journey with Steve Jobs to Make Entertainment History*, Houghton Mifflin Harcourt.（井口耕二訳『ＰＩＸＡＲ〈ピクサー〉：世界一のアニメーション企業の今まで語られなかったお金の話』文響社、２０１９年）

〔文献16〕Galloway, S.（2017）：*the four: The Hidden DNA of Amazon, Apple, Facebook, and Google*, Portfolio/Penguin.（渡会圭子訳『the four GAFA：四騎士が創り変えた世界』東洋経済新報社、２０１８年）

〔文献17〕Kocienda, K.（2018）：*Creative Selection*, St. Martin's Press.（二木夢子訳『Creative Selection Apple 創造を生む力』サンマーク出版、２０１９年）

〔文献18〕Kahney, L.（2019）：*TIM COOK: The Genius Who Took Apple to the Next Level*, Portfolio.（堤沙織訳『ティム・クック：アップルをさらなる高みへと押し上げた天才』ＳＢクリエイティブ、２０１９年）

〔文献19〕河南順一『Think Disruption：アップルで学んだ「破壊的イノベーション」の再現性』ＫＡＤＯＫＡＷＡ、２０２０年

〔文献20〕柳田由紀子『宿無し弘文：スティーブ・ジョブズの禅僧』集英社インターナショナル、２０２０年

〔文献21〕ＮＨＫスペシャル：『世界を変えた男　スティーブ・ジョブズ』ＮＨＫ、２０１１年12月23日
〔文献22〕「さよなら！　伝説のソニー　なぜアップルになれなかったのか」『週刊ダイヤモンド』２０１２年２月４日号

第２章

グーグル（アルファベット）

天才たちの研究パラダイスが生んだイノベーション

Google

グーグル（アルファベット）のビジネスとは？

検索サービス・トップのグーグルは2018年、グループを束ねる持ち株会社アルファベットとなった。社名の由来は賭けを意味する「ベット」と、期待以上のリターンを意味する「アルファ」からと説明されている。また「英文字AからZまですべて」という思いも込められている。

その名の通り、アルファベットの傘下にはグーグルだけでなく、自動運転やドローン輸送など様々な先進技術を基軸とするイノベイティブな事業が連なっている。なかでも、自動運転車を開発するウェイモは、2021年に自動運転の試験走行距離では世界最長を更新していて、自動車業界のゲームチェンジャーの一社と期待されている。

とはいえグーグルを除けば、ほぼすべてが研究開発の途上にあり、巨額の先行投資を積み上げているのが現状だ。2021年に787億ドルの営業利益を上げたが、研究開発費は316億ドル（約3・6兆円）に上り、アマゾンに次ぐ世界第2位である。

図表2－1では、アルファベットのセグメント別売上構成を示した。最大の売上はグーグ

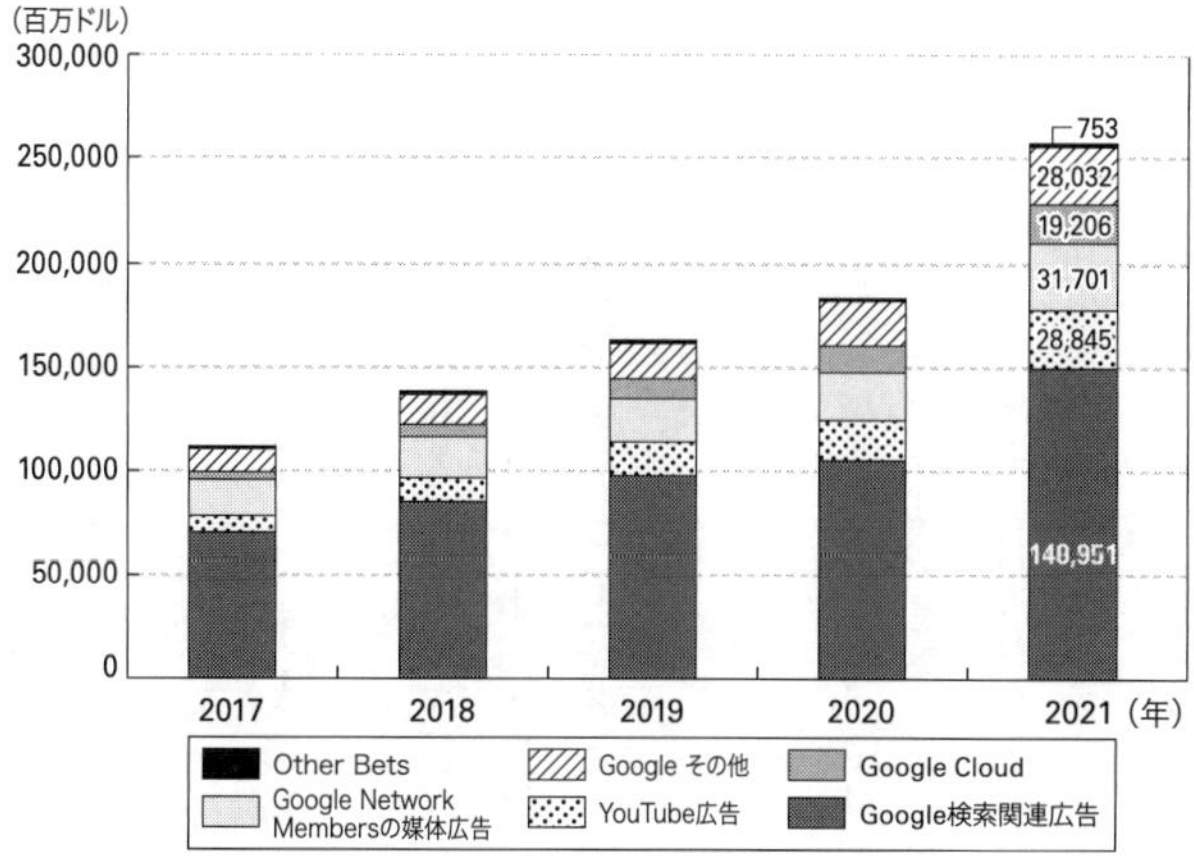

図表2-1　アルファベットのセグメント別売上構成

ル検索をした際に結果画面に表示される広告で賄われており、全体の約半分を占める。これにユーチューブ上に表示される広告、提携メディアを通じた広告収入を含めると、全体の8割強が広告売上となる。グーグルは、スマートフォン向けOS「アンドロイド」も提供しているが、OSは無料で公開されているため、基本的にグーグルには収益が入らない（ただし例外あり。また広告収入には貢献）。

つまり、アルファベットはそのほとんどを広告事業で儲け、その儲けを未来のための研究開発に投資している企業であることがわかる。

その基礎を築いた創業者は、スタンフォード大学博士課程の二人の学生だった。彼らによって検索エンジンがどのように発明され、どうして成長できたのか。その経緯を見ていこう！（以降の歴史の記述は、章末に記載した参考文献をもとにしている）

検索エンジンが拓いたインターネット革新

検索エンジンの世界市場シェアは、Ｇｏｏｇｌｅが69・8%、Ｂｉｎｇ（マイクロソフト）が13・3%、Ｂａｉｄｕ（中国・百度）が12・5%の順である。[1] 中国やロシアではＧｏｏｇｌｅにアクセスできないことを考えると、自由主義国圏ではＧｏｏｇｌｅが検索サービスのなかで圧倒している。

今や誰もが検索サービスなくして、インターネットの利用は考えられない。しかしわずか二十数年前には、インターネットのどこに何があるのか、わからなかったのだ。

グーグル創業者のラリー・ペイジとサーゲイ・ブリンが出会う2年ほど前の１９９３年当時は、インターネットの世界使用人口は１５００万人に過ぎず、ウェブページはわずか１００を超える程度だったという。ブラウザも「モザイク」が発表された頃である。この程度の数ならば、たとえ一つ一つにアクセスしたとしても大した時間はかからない。しかし、ネットはそこから信じられないほど猛烈なスピードで増殖と進化を遂げていった。

検索サービスの走りは、アルタビスタやエキサイト、インフォシークといったベンチャーによって散発的に立ち上がってきていたが、本格的に進み始めたのは１９９５年設立のＹａｈｏｏ！からである。

Ｙａｈｏｏ！は、スタンフォード大学電気工学の博士課程にいたジェリー・ヤン[2]とデビッド・ファイロによって設立され、初期の検索サービスで人気となった。ただ、Ｙａｈｏｏ！の方式は、後にディレクトリ型検索エンジンと呼ばれる、人手によるウェブ・ディレクトリを使ったシステムだった。人手をかけてリンクを張り付けていくので、しばらくするとウェブの爆発的膨張についていけなくなる。

しかもＹａｈｏｏ！など検索サービスを提供するサイトは、様々なコンテンツでユーザーを囲い込む粘着的なポータルサイトとなっていて、ユーザーが外に飛んでいってしまう検索自体の開発にはあまり力を入れなくなった。ウェブが無限に膨張するデータベース化してい

1　測定期間は２０２１年９月までの１年間（netmarketshare.com）。

2　ヤンは、ファイロと共に１９９２年交換留学プログラムで京都のスタンフォード日本センターに１年間滞在したことがある。ヤンとファイロは日本の相撲ファンだったことでも知られている。

く頃である。グーグルがやがて発明する、高度なロボット型検索エンジンが求められる素地があったのだ。

グーグルを創業したペイジとブリンは、ヤフー創業者二人と同じスタンフォード大学博士課程にいた。彼らはコンピュータ・サイエンス学科にいて、検索を最も重要なテーマと考えていた。無限に膨張し続けるウェブという図書館があっても、賢い検索がなければ無用の長物に過ぎない。しかも、ユーザーを意図的に利益誘導しようとするような邪《よこしま》なサービスではなく、もっとユーザーの気持ちに沿ったシステムを作りたいと思っていた。もしユーザーが最高と思う検索サービスを生みだせれば、お金は後からついてくるはずだ、とも。

そして、そんな高度な検索システムの開発は最高学府スタンフォードのようにトップレベルの研究者やエンジニアが集まり、彼らが生き生きと研究できるような環境を作れば可能なはずだ、と考えたのである。

新しい検索エンジンの着想は、ある晩、ペイジの夢の中で生まれた。「ウェブ全体をダウンロードして、リンクの記録を取る」というアイデアである。

「僕は、ウェブ上にあるものを全部自分のコンピュータにダウンロードしたい、とクレージーなことを考えていた。…僕が大学で学んだ言葉に『不可能に思えることには、できるだけ無視の姿勢で臨むこと』、これって本当にいい言葉だろう。できるはずがないと思われることに挑戦すべきなんだ」（ペイジ）[3]

「リンクの記録を取る」という着想は学術論文の文献引用から考えられたもので、研究者らしい発想だった。学界では、被引用数の多い論文ほど、重要な論文と見なされる。ウェブでも、人は良いコンテンツと思うサイトにのみリンクを張るはずだ。

しかし「ウェブ全体をダウンロードする」ためには、どれだけのシステム容量や処理能力が要るか。莫大な設備資金も必要になり、それは想像のつかない突飛すぎるアイデアで、指導教授からも呆れられた。[4] 一方で、データ・マイニングの研究をしていて、多数のリンクを集めて分析する作業を繰り返していたブリンは、ペイジのこの着想に強く共鳴した。

ただしこの着想の技術的な課題は二つあった。一つはウェブのリンク数とリンク構造から

3　章末の［文献1］第1章より。
4　章末の［文献6］によれば、1998年当時2600万ものウェブページがあり、それをバッチ処理する構想でのちに実際に実行された。しかしページ数は2000年には10億に、2008年には1兆ページに達した。

各ページの品質をランク付けすること。ランク付けはペイジの名前をもじって「ペイジランク」と名づけられた。そして二つ目は、ペイジランクを迅速に算出するための地図を作製することだ。そこで、検索クエリー（キーワード）のみに頼るそれまでの検索エンジンと異なり、ペイジたちはリンクを分析してユーザーが最も頻繁に訪問するサイトを調べ、それを検索結果の上位に持ってくるようにした。〝群衆の英知〟こそウェブページの価値を測る客観指標と考えたのだ。

二人は、このアイデアを他人に知られないように研究を進めた。しかし博士号を目指すならば、論文として発表しなければならない。二人は学者を目指していたので、「学業を取るか、起業か」で悩んだ。そんな二人の背中を押したのは指導教授デビッド・チェリトンの言葉だった。

「成功しなかったら、いつでも戻ってきて博士課程を修了すればいいじゃないか」[5]

こうして、ペイジとブリンの起業の決意が固まった。

天才的発明と力技で成功

二人の構想に、チェリトンと彼が紹介してくれたサン・マイクロシステムズ共同創業者アンディ・ベクトルシャイムが10万ドルずつ、計20万ドルの立ち上げ資金を出してくれた。起業のために必要なのは、超高速で演算処理するコンピュータとホームページのデータを蓄積する大容量のサーバーだった。

「効率の良い検索ができるかどうかは、ハードウェアにかかっている。良いハードウェアを作り上げてしまえば、それが会社の競争力になる[6]」

ブリンたちはそう確信していた。この頃、他のエンジニアは「持たざる」方法、つまりソ

5　章末の［文献1］第1章より。
6　章末の［文献1］および［文献3］より。

フトウェアの力で大量処理やスピードを上げられないか、懸命に考えていた。しかし、ブリンたちは大量のハードで並列処理するシンプルな方法こそ王道と考えたのだ。

ブリンはハードのエンジニアとしても腕利きだった。大学で不要になったパソコンを持ち出し、また家電店で安いパソコンを買い集め、それを積み重ねつなげてサーバーを自製した。これがのちに比較的安価な自前の巨大データセンターへと発展していくことになり、ブリンらが確信した通りグーグルの競争力になる。

実はグーグルは天才的な発明だけでなく、巨額のサーバー投資という力仕事との合わせ技によって成功をつかんだのだ。気がついた時は、あまりの投資集積に後発組は追いつけず、追随を諦めさせる効果があった。しかし、それゆえに普通のソフト・ベンチャーとは比較にならないほどの巨額資金が必要になった。

二人はさらに教授の口利きで、ネットスケープで財を築いたエンジェル投資家のラム・シュリラムにアプローチした。シュリラムは当初、ヤフーやインフォシークに技術を売ったらどうかと提案し、ヤフーのヤンたちを紹介した。

ペイジたちがヤフーでプレゼンをすると、ヤンたちは検索エンジン自体には感心してくれた。しかし、ユーザーが他のページに早々と飛んでしまえば、ヤフーが広告主に売り物にしているページビューが減少してしまう。その懸念から採用しなかった。[7]

その話を聞いたシュリラムは、むしろペイジたちの検索エンジンの革新性を見抜く。そして25万ドルの小切手を切ってくれた。さらに他に3人の出資者が同額の小切手にサインした。その3人とはチェリトンとベクトルシャイムの他に、シュリラムの友人でアマゾン創業者のジェフ・ベゾスだった。おかげで二人は合計１００万ドルのシードマネーを手に入れることができた。[8]

後述するが、ペイジやブリンは米国の最高学府スタンフォード大学にいた天才たちである。ヤフーのヤンやファイロもそうである。しかし、何がスゴイかといえば指導教授も仰天するようなブッ飛んだアイデアに、多額のリスクマネー（リスクをシェアしてくれる資金）が提供されるエコシステム（生態系）があることだ。シリコンバレーは「富豪とオタクの巣」と言われるが、まさにこれだ。

スタンフォード大学は、ビジネスの世界と地続きである。学長や教授自身も起業して成功

7　このエピソードは章末の［文献2］第2章より。
8　章末の［文献6］第1章などより。

させた経験をもつアントレプレナーが多い。

もともとスタンフォード大学では設立当初から、教授たちが企業の有給コンサルタントになることが奨励されていた。今も資金提供も含めてベンチャーのサポーターであり、またエンジェル投資家やＶＣとは緊密な友人関係にある。シリコンバレー全体が狭いコミュニティになっていて、お互いが便宜を図り合う互助集団でもある。

だから筋のいい起業案件にコミュニティ内の〝目利き〟の一人が反応すると、あっという間に伝播してサポートの輪ができ、ベンチャーが立ち上がる。グーグルやヤフーのように、大学院生の研究がそのままベンチャーになるケースはもちろん多いし、また企業との技術コラボや事業連携は日常的に行われている。

しかも資金量が半端ではない。『内閣官房・経産省の基礎資料（令和3年3月）』によれば、米国の２０２０年のＶＣ投資額が16・7兆円（投資件数1万２３００件）に対して、日本は１５００億円（１２００件）と、投資額は１１０倍、件数で10倍以上の差がある（つまり1件当たりの投資額も10倍以上）。さらに米国の投資の中心はシリコンバレーで、投資額の約4割を占めるほどだ。また、ユニコーン企業（時価総額10億ドル以上の企業）の数も、２０２２年３月に世界で１０００社を超えたが、そのうち米国は４８８社、中国は１７０社で、対する日本は6社と大きく水をあけられている。[9]

日本では多額の資金調達が大変なので、ベンチャーも小振りになり、ユニコーン企業が生まれにくい。資金の制約から発想が小振りになるのは当然だ。シリコンバレーでは、グーグルのような莫大な資金のかかるビジネスも、比較的容易に立ち上がる。

そして、たとえ失敗したとしても、リスクは承知の上なので誰も非難したりしないし、二度と事業をやり直せないほどの社会的制裁が加えられることもない。「Freedom to fail（失敗する自由）」である。起業家のそれまでの仕事がタダ働きになっただけのことで、不誠実な行いさえしなければ何度でも挑戦できる。またチェリトンが言ったように、「失敗したら、大学に戻ってくればいい」と気軽に言える安全弁さえあるのだ。

日本の大学にこんな安請け合いができる余地はほぼない。以前より良くなりつつあるとはいえ、学生発ベンチャーといくつも付き合ってきた経験からは、日本社会の若い発想と情熱に対して冷たいと感じる。それはため息が出るほどだ。「シリコンバレー・モデルを日本に！」という試みは過去に何度も失敗してきて難しいのはわかるが、日本には断じて若い発

9　章末の［文献14］より。

想を育てるエコシステムが要る。

「幼稚園の遊び場」が生んだ発明

グーグルに話を戻そう。

起業を選択したペイジたちは、会社の名前を「グーグル（Google）」にした。10の１００乗を意味する天文学的数字「googol」のスペル違いだったが、そちらは既に登録済みだったので、そのまま使うことになった。

１９９８年９月、新会社を大学近くのメンローパークにあった家のガレージを借りてグーグルはスタートした。ガレージの入口には「グーグル世界本社（Google Worldwide Headquarters）」と書かれたボードが掲げられた。[10] 日本であれば、社名も看板もジョークでしかないが、彼らの構えは初めから大きかったのだ。

オフィスは大学院の雰囲気をそのまま持ち込み、自由な空気があふれていた。というより、「幼稚園の遊び場」と評する人もいた。[11] ペイジたちが開発アイデアを出せば、スタッフの間に自由な意見が飛び交い、翌朝には試作版が出来上がっている。そんなスピード感で仕事が進んでいった。疲れると庭にあったジャグジーで頭を休め、眠くなると寝袋にくるまった。「天才たちの幼稚園のような遊び場」と書いて、想像が及ぶだろうか？　図抜けて天才的な人に出会った経験からいうと、例えば一目で「この人の頭の回転は、並の頭の切れる人の数倍速で動いている」とわかる研究者同士がのびのびと、しかし静かな火花を散らしているような場である。シリコンバレーで実際に出会ったグーグラー（グーグル社員）もキラキラしていた。創業時のグーグルは方向性が明快で、また自由な研究環境のもとで、天才たちの掛け算がどんどん進んで行ったに違いない。

　のちに先端技術開発部門グーグルXのリーダーを務めたアストロ・テラーは「10倍良くするほうが、10％改善するより簡単」と言っている。10％の改善はどうしても既存の条件に引っ張られるが、10倍の革新は今までの前提をすべて変える自由な発想がカギになる。幼稚園児のように「なぜ？　どうしてできないの？」と無邪気に常識を疑う発想が……。

　創業者コンビは、ユーザーこそが重要だと確信していた。といってもただ単にユーザーの

10　章末の［文献2］第2章より。
11　章末の［文献3］第3章より。

要望に応えるのではなく、ユーザーが思いもつかないような、あるいは解決は無理と思っていた問題のソリューションを提供することが大事だと。

「ユーザーが質問を思いつくのと同時に、答えが戻ってくるのが理想だ」（ブリン）

「賢いだけでなく、世界のすべてを理解する必要がある。コンピュータ科学でいう人工知能（AI）になるということだ」（ペイジ）[12]

これを実現するには、世界トップレベルの頭脳集団を作る必要がある。そこで、高度人材の採用がまず最優先の仕事、と彼らは考えた。

条件は自分たちよりも天才であること

幸運にもシリコンバレーには地の利と時の勢いもあり、また二人の理想主義には吸引力があった。例えば、カリフォルニア大学バークレー校の現役教授が職をなげうって、グーグルに参加したり、他にも有名大学教授や研究者がグーグルに転職してきたり、マイクロソフトやＡＴ＆Ｔ、ＤＥＣなどハイテク企業のエンジニアも馳せ参じた。そして、インドやイスラエル出身の天才たちも。天才が天才を惹き寄せる循環が巻き起こったのである。

ペイジはそんな人たちにいつもこう語りかけた。

「やりたいことは何でもできます。…あなたが世界を変えようとしているなら、重要なことをしようとしているのです。…有意義でインパクトのあるプロジェクトに携わりたいと願っているはずです。…グーグルにはそうしたものがあると思います[13]」

ペイジは「これは！」と思う天才については一本釣りでのアプローチをした。

例えば、後述するグーグルＸの自動運転車ウェイモは、２００５年にＤＡＲＰＡ（国防高等研究計画局）が主催したロボットカー・レース「グランド・チャレンジ」で優勝した「ス

12　直前の発言を含め章末の［文献3］第3章より。
13　章末の［文献6］第10章より。

タンリー」が基礎になっている。スタンリーはスタンフォード大学でコンピュータ・サイエンスを教えていたセバスチャン・スラン教授のチームによるもので、レースを実際に見に行って彼をグーグルに招聘《しょうへい》すべく説得したのはペイジである。

また「２０４５年にシンギュラリティ（ＡＩが人智を超える技術的特異点）を迎える」と唱えたレイ・カーツワイルも、ペイジに懇請《こんせい》されてグーグルに参加した人物である。彼らは移籍の動機についてグーグルには豊富な研究資金だけでなく、「すでにその分野の先端人材がいたから」と明かしている。

「自分たちより優秀な人材をできるだけ多く」がペイジとブリンの基本ポリシーだった。それゆえ採用基準に妥協はしなかった。図抜けた技術力は当然として、ユーザーを最優先する姿勢や現実離れした夢に燃えるような人材でなければならなかった。

加えてスタッフが協働しにくい「デキルが嫌なやつ（ブリリアント・ジャーク）」は、決して入れなかった。[14] 研究開発はコラボレーションがカギになるからである。しかも狭いエキスパートではなく、ある程度の「聡明なジェネラリスト」を求めた。専門分野の経験値が強すぎると、イノベーションを阻害するからだ。

採用は委員会方式を取り、幹部による何度かの面接を経て、入社までに半年ほどかかることもあった。最終面接では必ずブリンとペイジが会い、「自分たちより優秀な人間」かを確かめた。[15]

ミッション・ステートメントは「世界中の情報を整理し、世界中の人々がアクセスできて使えるようにする」と決めた。ビル・ゲイツのそれは「すべての家庭と、すべてのデスク上にコンピュータを置くこと」だったが、これと比べると初めから「誰もが使える無料サービス」を想定していて、営利事業への意欲が感じられないものだった。[16]

この点ではＶＣといつも衝突したようだ。コンセプトは評価されても、事業計画というものがなかった。収益化の見込み自体がなかったのである。さらに傍若無人な二人の態度が、ＶＣの苛立ちに拍車をかけた。

しかし「世界中の情報をワンクリックで届ける」という情熱が、シリコンバレーの二つの

14　章末の［文献４］第１章より。

15　章末の［文献６］によれば、この採用方式は膨大な手間と時間がかかる難点があったので、２００８年に人材イノベーション研究所が設立され、心理学や組織行動学などの研究者を集め、科学的かつ効率的に進められるようになった。

16　章末の［文献２］第３章より。

著名なＶＣであるクライナー・パーキンス・コーフィールド・アンド・バイヤーズのジョン・ドーアと、セコイア・キャピタルのマイケル・モーリッツを動かした。しかも、単独出資を主張した彼らを説得して二つのＶＣから同額出資を計２５００万ドル引き出したのだ。異例の出資形態を受け入れた彼らは、しかし一つ条件をつけた。それは「いずれ大人の経営者を迎えること」だった。

１９９９年6月、グーグルは初めてプレスリリースを開き、ＶＣの出資受け入れを発表した。スタンフォード大学で行われた記者会見。記者が利益をどう出すのか質問すると、ブリンは平然と「我々の目標は、ユーザーエクスペリエンスを最大化することであって、収益の最大化ではない」と言ったという。

２０００年初頭にグーグルの検索処理件数は１日70万件に達した。１年前の１万件と比べれば、驚異的な伸びである。

しかし、この年はいわゆる「ドットコム・バブル」が弾けた時期でもある。ナスダック総合指数は78％に下落した。非上場のグーグルは難を免れたが、いずれ収益化の道を見つけなければならないことは確かだった。

カギは〝能力密度〟

ブリンとペイジは天才である。その天才たちが、自分たちより優秀な人材を集め、「幼稚園のような遊び場」を作る。それがなぜイノベーションを生むのか。その説明には、「能力密度」がわかりやすいと思う。シリコンバレーに拠点を置くネットフリックスのＣＥＯリード・ヘイスティングスはエリン・メイヤーとの共著『NO RULES』[17]で、自らが経営のポリシーとする「能力密度」という概念を紹介している。それは次のようなものだ。

ネットフリックスは自らエンタテインメント・コンテンツを制作し、配信する会社である。日本も含めて世界で大ヒット作を連発し、米アカデミー賞も獲得している。したがってクリエイティブな制作メンバーを集めるのが生命線である。そのカルチャーを表現する社内用のスライドには、次のように書かれているという。

17　直後の引用箇所を含め章末の［文献10］より。

「ほかの会社と同じように、われわれも優秀な人材の採用に努める。
ほかの会社と違って、われわれは並の成果には十分な退職金を払う」

２００１年にネットフリックスが業績不振に陥り、レイオフを実施したことがあった。その時、１２０人の社員のうち40人をレイオフして80人にしたところ、社員のモチベーションは劇的に高まり、全体のパフォーマンスが上がった。社員数は減っても一人当たりの能力が高まって「密度」が高まったからだ、とヘイスティングスは実感した。そこから彼は、こう確信するようになる。

凡庸な人材が一人でもいると、それが伝染して本当は最高の成果を出せる人材も平凡な仕事しかしなくなる。一方で優秀な人材しかいないチームに彼らの意思が自由に発揮できる環境を提供すれば、お互いが刺激し合って高い成果を出すようになる。つまり高い能力密度と最大限の自由な環境の下で、優秀な人材は真価を発揮するのだ、と。

以後、これがネットフリックスの人事ポリシーとなった。

仏ビジネススクールＩＮＳＥＡＤ教授の共著者メイヤーも、豪ニュー・サウスウェールズ大学教授フェルプスの実験を例に引いて、「怠け者」「嫌な奴」「陰気な悲観論者」が入ったチームはパフォーマンスが30～40%低くなると指摘している。フェルプスの実験とは、学生チームに課題を与えて成果を観察するものだが、その中に俳優を一人混ぜて怠け者や嫌な奴を演じさせるという実験室研究である。どんなに優秀なメンバーを集めても、たった一人の問題行動がチーム全体の成果を低くするというのは、我々も経験的に知っている。

この気づきから、ネットフリックスでは飛び切り優秀な人材だけを採用し、業界トップレベルの報酬を支払う一方で、並の成果しか上げない社員や問題を起こす社員に対しては、退職金をケチらずに辞めてもらうという。マネジャーにはコーチングを学ばせ、すべてのメンバーがパフォーマンスの面でも、協調性の面でも最高の人材であるか、徹底的に目を光らせるようになった。クリエイティブ集団も、異なるエキスパートとのコラボが必要で「デキルが嫌な奴」もいらないのだ。メイヤーは、ビル・ゲイツのもっと過激な言葉「優れたソフトウェア・エンジニアは普通のエンジニアの1万倍の価値がある」も紹介している。

この「能力密度」には確かにメリットが多い。

いわゆる少数精鋭はプロスポーツでは一般的である。キー・ポジションに最高のプレイヤーを揃えるために、良い選手をトレードする運営方法と同じだ。

ただし「能力密度」の運用は、注意も要する。

それはクリエイティブ集団では言えても、ルーチンを正確かつ能率的にこなすことが求められる製造部門のような場では適用できない。それはヘイスティングスも認めていて、経理や消費者データ保護の担当部門では、自由よりもルールや手順が重視されるのは明らかだ。

国ごとの文化的背景にも配慮が必要だ。

ネットフリックスの人事ポリシーは、日本の拠点とオランダでは大きく異なるという。カルチャー・マップ上で日本とオランダは対極であり、例えば日本で面談する時は、直接的な表現を極力避けるといった提案をしている。

ただ、いずれにしても重要なのは、イノベーションが成功のカギを握る分野では、コントロールではなく、コンテクスト（文脈）がカギだとヘイスティングスは言う。クリエイティブ・エコノミーの組織では、タイトなコントロール組織ではなく、人々がルーズに結びつく自由度の高い組織が向く。そこで、トップが掲げるべきコンテクストは、次のサン＝テグジュペリの言葉が示唆しているという。

「あなたが船を作ろうと思うなら、太鼓をたたいて人を集め、木材を集め、仕事を割り振り、命令するのではなく、茫洋《ぼうよう》とした果てしなく広がる海に、恋いこがれる気持ちを教えよう」[18]

これはナイキやGAFAに共通するトップの創造力、発信力と言えよう。

研究者の楽園[19]

グーグルの場合、研究開発のテーマは明快だった。そして、天才研究者を集めてスタンフォードより優れた研究者のパラダイスを作れば成功するはずだという考え方は、今も引き継がれている。

例えば「20%ルール」は創業時から設けられた。それは、勤務時間の20%を自分の好きな自由研究に充てられるというルールである。大学の研究職は（日本の大学でも）週5日のうち1日（つまり20%）を「研究日」として自由に使ってよいことになっている。授業や雑用

18　章末の［文献10］第9章より。

19　このパートの事実情報は主として章末の［文献4］［文献6］および［文献7］によっている。

から解放される日だ。その制度をグーグルは取り入れた（グーグルでの仕事は激務だったので、それをこなした上での自発的プロジェクトは20%どころか「１２０％プロジェクト」だというジョークが社内で広まったが）。

ただしグーグルのルールは大学とは異なる。大学では何をやっても野放しだが、グーグルでは上司に何をしたいか伝える必要があった。そして取り組むテーマはＯＫＲ（Objectives & Key Results：目標と主要な成果）と共にＭｏｍａと呼ばれるイントラネット上にすべてアップされ、上司をはじめ社内から評価され、評価点はランキングされた。またその研究に仲間を募ることもでき、そのプロジェクトが実際のビジネスにつながれば、巨額のインセンティブを伴うこともあった。[20]

「遊び心を失わない」も創業時からの会社の文化だった。例えば4月１日のエイプリル・フールは大事なイベントだった。この日のために、社員全員が想像力逞しく悪ふざけの準備をした。まるで学園祭のように楽しむのだ。ちなみに、ロゴ入りＴシャツや帽子、ジャケットやフリースはことあるごとに配布された。

社内（キャンパスと呼ばれる）も企業文化を表現し、自由な空気が満ちていた。大学と同じように、社員用の文化やスポーツの施設があり、研究をサポートできるような配慮が行き届いていた。例えば、カフェやミニキッチン、昼寝用ポッド、バーベキューコーナー、ジム、シャワールーム、ビーチバレーコートなどなど。これらは大方が無料で使うことができた。他にも、医科歯科クリニックやマッサージ・ルームがあり、ランドリー・コーナーやガソリン・スタンド、自転車修理所（これらは社員がコスト負担）、サンフランシスコとオフィスの間を巡回する無料のシャトルバスまであり、ホールでは分野を限らず著名人を呼んだ自主的な講演会や勉強会が頻繁に開かれた。[21] もちろん、これらの福利厚生は幹部も一般社員も同列で分け隔てなく、役員専用の食堂や駐車場といったものはなかった。

オフィスも従業員が孤立せず、従業員同士の交流が促進されるように設計、配置されていた。地位を誇示するような、立派な個室は一つもなかった。[22] これは日本の大学とは異なると

20　実際に20%の時間を使って始まり、やがて事業になったものがたくさんある。株式公開後の２００４年11月にファウンダーズ・アワードが創設され、並外れた実績に対して桁外れの報酬が贈られた。成功すると、チームの一人ずつ（!）に最大数百万ドルの賞金が出た。しかしこの制度は、特に非技術職に不公平感が強く、また賞がもらえそうなチームに異動したがるなどの弊害が出て発表されなくなった。

21　章末の［文献４］第３章によると、バラク・オバマ、モハメド・アリ、ダライ・ラマなど多方面の著名人を呼んでいた。

22　こうした処遇制度や人事政策に関する情報は章末の［文献５］によっている。

ころだろう。日本の多くの大学は各教員が長屋形式の個室（研究室）に閉じ籠もり出てこない。だからコラボレーションが起こりにくい。グーグルでは徹底して、スタッフの交流が促される配慮が施されている。

スタッフ間の情報の透明性も高い。新規採用されたエンジニアは、入社日からあらゆるプログラムのソースコードにアクセスすることができる。それだけでなくＭｏｍａには、製品ロードマップや新規事業計画など、社員が外部に情報を漏らさないという前提で、すべて透明だった。

仕事に必要な装備や機材は無料で提供された。「支払いの必要がないアップルストアのような」機器コーナーがあり、グーグルのセキュリティソフトを搭載したルーターを使えば、通信料は会社負担で自宅からもサーバーにアクセスすることができた。

社員食堂には、オーディションによって選ばれたシェフによる豪華でバラエティに富んだ世界の料理が並んでいた。24時間オープンのカフェもあった。これらはすべて無料だった。社員食堂を作ったのは、食事のために外へ出ると、かなりの時間を失ってしまう、とブリンが考えたからである。[23] 生産性が高くなるだけでなく、健康にも配慮した食事を提供できれば、社員のつなぎ止めにも役立つ、と。

こうしたグーグルの自由は放任とは全く異なる。日本の大学は、語弊を恐れずにいえば放任である。だからテニュア（終身在職権）を取るまでは大変だが、それを取ってしまえば教員はノビノビできる。ゆえに教授になると、論文や本を書かない人が多い傾向にある。

一方、グーグルでは天才たちが相互に評価し合う関係にある。オフィシャルな目標であるＯＫＲだけでなく、20％ルールの時間で取り組むテーマもＭｏｍａにアップされる。天才たちは、他人の図抜けた研究には敏感で、鵜の目鷹の目で見つめ合っている。当然、つまらない研究や成果の上がらない研究者は、社内から無視されるようになる。いわば自動的にグーグルから排除されることになる。

成果の上がらない研究者を組織内に温存してしまえば、研究者のレベルはどんどん下がっていく。シリコンバレーには「バカの増殖」という言葉があるが、これは「放っておけば既存社員の自己保身から、自分より能力レベルの低い人を採用する動機が働き、人材のレベルがどんどん落ちていく現象」のことである。ＧＡＦＡはいずれもそれを回避する仕組みを作っている。グーグルで採用基準を厳しくし、創業者が最終面接して「自分より優秀な人材

23　章末の［文献3］第3章より。

か」確かめるのもそれゆえだ。

しかし、グーグルの研究パラダイスも２００８年秋のいわゆるリーマンショックを境にして修正を余儀なくされる。世の中で失業や貧困が問題化している時節に、無料の豪華な社員食堂は、さすがに周囲とのズレを感じる象徴になったからである。ただ、グーグルが突然、社員にコストカットや規律を求めるのはどこか矛盾が感じられた。巨額の利益が減ることはなかったからである。

これを機に社内の空気は明らかに変わったという。優秀な社員が辞め始めた。広告事業をリードしたシェリル・サンドバーグはフェイスブックのＣＯＯになった。他のＩＴ企業の経営幹部になる者や、自ら起業するためにグーグルを去る者が続出し、マスメディアは「グーグルの頭脳流出」が始まったと囃したてたほどだ。

米国の資金環境と対照的な日本

グーグルの成功は天才が集まっただけでなく、創業時から巨額資金が集まったゆえである。

この点、わが国はシリコンバレーとは対照的だ。「収益化は眼中にない」とうそぶく若い起業家のやりたい放題に投資を続ける投資家はいないだろう。わが国は「ほうれんそう（報連相）」の社会である。ガバナンスと称して、いちいち投資家に細かい了解が求められる。起業家はこの説明に追われ、そのうち本業どころか疲労困憊《こんぱい》となってしまう。

関連して日本の科学技術の研究環境について、２０２１年10月にノーベル物理学賞を受賞した真鍋淑郎（米プリンストン大学）の発言も象徴的だった。

真鍋は受賞の記者会見で、

「私が日本に戻りたくないのは『調和』の中で生きる能力がないから…[24]」

と言った。最初はジョークと受け止められたが、日本からの頭脳流出の要因をズバリ表現している言葉だった。彼は米国籍を取った理由を聞かれ、米国では「他人をあまり気にする必要がない」のに対して、日本の研究現場は「互いに協調する」といったことを答えている。彼は渡米した後も、日本に戻って科学技術庁の傘下の機関で研究責任者を務めたことがある

24　章末の［文献11］より。

のだが、嫌になって米国に帰ってしまった。それは研究以外の苦労が多かったからで、研究に集中できなかったのだ。所管の違ういろいろな研究機関との調整業務や、研究スタッフ不足、本音をぶつけない空気等々、様々な研究以外の苦労で疲れてしまった。

逆に米国では、寛大な上司の下で好きなだけやりたい研究に打ち込むことができ、コラボや議論も活発で、コンピュータも使い放題である。それに慣れた真鍋にとって、日本の研究現場は苦痛以外の何物でもなかったのだろう。

さらに彼は、日本では「好奇心に駆られた研究が少なくなっている」と警鐘を鳴らす。日本の若手研究者は、ポストと研究資金を獲得するために「受けのいい研究テーマ」にしなければならない。しかも限られた短い期間で成果を求められ、野心的で大胆な研究テーマに挑戦する気風がそがれる傾向にあるという。いわゆるショートターミズム（短期成果主義）である。

では、大企業の研究開発現場はどうだろうか。企業の方がもっとショートターミズムかもしれない。

２０１９年にリチウムイオン電池の発明者の一人としてノーベル化学賞を受賞した吉野彰は、京都大学の修士課程を終えた後、企業の研究部門に進んだ人である。吉野が大学ではなく、企業を研究の場として選んだのは、研究の成果を製品として送り出し、社会に恩返しする。そうした研究人生が魅力的に思えたからだ。

しかし、振り返って吉野は企業の研究開発は、研究者が短い期間で成果を上げるよう求められ、大学の研究者とは違うプレッシャーがあり、実際に入ってみて、基礎研究に携わる研究者がいかに孤独か、身に染みたという。２０２１年10月に連載された日本経済新聞『私の履歴書』の中で、吉野はこんなことを言っている。

「入社後、電池の研究に着手するまでの7、8年間、私の研究は連戦連敗だった。…企業の基礎研究では『2年で見通しが立たなければ打ち切り』は通り相場だ。

基礎研究が実を結ぶまでには多くの困難がある。研究の大半は芽が出ず、すぐに振り落とされる。『悪魔の川』である。ここを泳ぎ切って基礎技術はできても商品化に至るまでに多くの課題を解決しなければならず、大半が脱落する。『死の谷』だ。

ここを乗り越えても『ダーウィンの海』が待ち受けている。商品化には成功しても、市場が拓けるまでに長い年月がかかるのである[25]」

「悪魔の川」「死の谷」「ダーウィンの海」とは、技術経営に関して日本で言い始められた言葉のようだが、米国の西部開拓時代、ゴールドラッシュにわく西海岸を目指し、東海岸から夢を求めて旅立った人の辛苦をなぞらえたといわれる（諸説あり）。研究開発者は、特に社内から徹底して叩かれるので、孤独が身に染みるのだ。

吉野の場合も、最初は米企業との合弁会社にいて、米国流の比較的自由な環境で研究させてもらえたが、米側の都合で合弁解消となり、日本側に吸収されると「寒空に立たされた思い」がしたという。関連部署や役員のヒアリングの際に、研究の目的や実用化について濁流のような質問の数々を投げかけられたのだ。

日本は「ほうれんそう」を求めるコンセンサス経営の国である。しかし既成概念を超越したイノベーションとは、既成概念になじんだ人には説明が難しいものだ。

こうした研究者に冷たい、孤独な悪環境を乗り越えた吉野だからこそノーベル賞に値するのだろう。しかし研究者の個人的努力に依存して、世界をリードする技術立国に日本をするのはさすがに無理があろう。

経営者シュミットの奮闘

グーグルでは収益の見込みもないまま、天才たちの研究パラダイスはどんどん膨張していった。開発を中心に人員が急増し、オフィスもアッという間に手狭になり、コストも急増した。

ＶＣのドーアとモーリッツは、さすがに膨らむ損失に苛立った。そして、約束の「大人の経営者」採用のためにヘッドハンターを使うことをグーグルに促す。しかしペイジとブリンは、面接しても気に入った人材がいないと抵抗した。

二人には、自分たちこそビジョンを実行し、企業文化を守り抜くことができるという強い自負があった。自分たちで経営もやっていけると思っていた。それどころか技術に精通していない経営管理や営業の人材を低く見ていたのだ。

「テクノロジー企業では、エンジニアがキング」とペイジは日頃から言っていた。しかし、

25　章末の［文献12］より。

２００１年にドーアがエリック・シュミットを連れてくると状況は変わる。シュミットは当時46歳。プリンストン大学を出て、ＵＣバークレーで修士・博士号を取り、ゼロックス・パロアルト研究所の研究員となった後、サン・マイクロシステムズのＣＴＯを務めるなど多彩なエンジニアとしての才能の持ち主だった。当時、ソフトウェア企業ノベルのＣＥＯであり、ペイジとブリンはテクノロジーに明るい彼の入社を承服した。

創業者コンビは、先述した大学の延長のような組織を理想としていたので、組織は小さなチームで構成され、全体がフラットであるべきだと考えていた。というより組織らしい組織はなかった、というべきだろう。創業者二人に権限が集中し、権限委譲も明確でなく、勝手に自由で自律的な経営をイメージしていたのだ。開発者が創造的な仕事を進めるには、意思決定者と直接話を進める必要がある。だから、中間の管理職のようなポジションはいらない、と考えていた。

しかし、そんなフラットな組織ですべての情報を共有しようとすれば、プロジェクト・リーダーは皆に業務報告をしなければならなくなる。そんな混乱は早くも始まっていた。

毎週金曜日午後に開かれる全体会議「ＴＧＩＦミーティング」（ＴＧＩＦは「Thank God, It’s Friday!＝やった！　金曜日だ」の頭文字）は、ペイジとブリンが主催し、何でも議題に出して話し合うことのできる全社集会だったが、これには誰もが参加できたので、創業期はともかく規模が膨らむと機能しなくなった。[26] したがって実際には経営は成り行きで、カオスだったのだ。そろそろ秩序が必要なことは、誰の目にも明らかだった。

２０００年にメディアの「難しかったことは？」という質問に、ブリンがこう答えている。

「一番難しかったのは、組織に関する問題にどう対処すべきかを学ぶことだったな。…今グーグルでは70人以上が働いているんだ。まるで複雑な怪物さ。…これまでは走りながら学んできたんだ。そもそも会社絡みのことに、僕らは疎かったからね[27]」

実際には、創業者二人の力では70人の組織でもうギブアップだったのだ。シュミットはこんなグーグルに経営センスを持ちこんだ。

26 シュミットが後にＴＧＩＦにルールを設けた。ペイジら幹部への質問は事前に投票され、上位の質問から優先して答えるようにした。ペイジらの回答がお粗末と感じられた場合には、出席者は配られた赤札を振り、納得した場合は緑の札を振ることにした。上記は章末の［文献５］より。

27 章末の［文献３］のはじめにより。

とはいえ当然のこととして、創業者と経営者シュミットの間には様々な軋轢《あつれき》も生じた。ペイジとブリンは、経営に規律を持ちこもうとするシュミットに反感すら持った。「社内の起業家精神を台無しにする」と激高することがたびたびあった。しかし、さすがにシュミットは大人であり、二人を尊重して穏やかに対応し、敢えて引き下がることが多かった。

シュミットは彼らへの対応に苦慮した。そこでシリコンバレーで有名だったビル・キャンベルの助けを求め、エグゼクティブ・コーチとして招く。キャンベルの存在が、結局グーグルの救世主となった、とシュミットはのちに述べている。

「一流のスポーツ選手にコーチが必要なように、経営者にもコーチが必要だ[28]」

こうしてシュミットは経営組織や運営システムを整え、足りなかった開発以外の経営幹部を採用し、プロダクト・マネジャー制を導入し、ＯＫＲによる目標管理の仕組みを設けた。ＯＫＲはトップから、チームや部門、傘下企業に至るまで四半期ごとに設定され、イントラネットＭｏｍａ上に、全社員の略歴や業務内容などとともに公開された。社員なら誰でも、それを見ることができた。

そして会議や意思決定のあり方、財務管理などを充実させていった。とはいってもシュミットは、やがて創業者コンビの価値観や信念を認めるようになっていた。

「無秩序というのが特徴であっても良いじゃないか[29]」

大人のプロ経営者シュミットの包容力によって、創業者二人の基本理念は守られ、カオスになっていたグーグルは救われたのだ。シリコンバレーのエコシステムは深い。

広告モデルを発明したサンドバーグらスタッフ

ただ、収益化の道を探す仕事は依然として残っていた。検索サービスはブレイクしたもの

28　章末の［文献5］より。キャンベルはスティーブ・ジョブズの親友としても有名で、シリコンバレーの起業家のメンター役を多く務めた。通常は幹部研修を指導し、困難な局面ではリーダーシップを発揮できるようコーチングした。

29　章末の［文献4］第5章より。

の、稼ぐ方法が見つかっていなかった。研究開発とビジネスは別物だったのだ。

２０００年10月、グーグルは「アドワーズ」と呼ばれる初の広告プログラムを導入する。この頃のアドワーズはＣＰＭ（表示１０００回当たりの料金）方式、つまりユーザーがクリックしたかどうかにかかわらず広告の表示回数で料金が支払われる形だった。

広告主は特定のキーワードに対して、検索結果の横に小さな文字広告を出す。そのために従来型の検索エンジンでは、広告の都合で検索結果が歪められることが多かった。

ブリンたちは、それが許せなかった。[30]

そんな中で検索サービスのライバル・オーバーチュアの創業者から、合併の誘いとともにあるアイデアがもたらされた。コスト・パー・クリック（ＣＰＣ）方式、つまりユーザーが広告に興味を持ち、リンクをクリック、あるいは商品を購入した場合に限って、広告費を請求する仕組みである。ペイジたちは合併を拒否したが、ＣＰＣは収益モデルのヒントになった。[31]

社内でＣＰＣを議論していく中で、ユーザーのクリック数は、広告に対するユーザーの支持を表すのではないかという意見が出た。検索結果の表示順位と同じように、広告もユーザーの評価が反映できれば、ユーザーの望む表示に近づくはずだ、と。これが結果として「広告の品質」を管理するという、前代未聞の試みにつながった。

こうした広告モデル開発の推進リーダーになったのが、シェリル・サンドバーグである。彼女のキャリアは第3章で紹介するが、２００1年にシュミットにヘッドハントされて同社に参加した逸材であり、シュミットは技術以外の天才たちも集めた。

彼女のリードによって、検索クエリーを広告主によるオークションで価格決定する、というアイデアが生まれた。例えばグーグルがキーワードごとに最低入札価格を設定し、広告主Aが10ドル、Bが5ドル、Cが3ドルで入札したとすると、Bの価格に1セントだけ上乗せした価格でAに決定する。こうすれば広告主も無駄に費用を払う必要がなくなり、支出の納得感が高まる。しかも、この方式はセルフサービス型なので、グーグルはセールスの要員を最小にできて料金も下げられ、ユーザーに広告をクリックさえしてもらえれば、収益となる。ただし広告の表示については、創業者コンビのこだわりが尊重され、検索結果のスペースは

30 このポリシーは今日まで貫かれていて、Ｇｏｏｇｌｅの検索トップページが象徴している。それはカラフルなロゴ（時にイラストなどで装飾したＤｏｏｄｌｅで彩られる）のみで極めてシンプルな画面である。

31 このエピソードは章末の［文献2］の第3章より。２００2年にオーバーチュア（後にヤフーが買収）から、ビジネスモデルの盗用で訴えられたが、グーグルが新株購入権（総株数の1％）を与えたことで和解した。

2／3で、広告は1／3にとどめられた。

そしてその1年後にはもう一つの稼ぎ頭となる「アドセンス」が、同じCPCで生み出された。アドセンスは、グーグルが広告斡旋会社として、ブログやホームページに広告を配信し、彼らパートナーと広告料を分け合う仕組みである。配分比率は概ねパートナーが2／3、グーグルは1／3とした。このおかげで、小さなサイトにも広告料を稼ぐ道が開かれた。

当事者たちですら後で気づくのだが、アドワーズとアドセンスは、グーグルが突然つかんだ大発明だった。検索の質を損なうことなく、稼ぐビジネスモデルを見つけたのである。それは発明した検索エンジンと相まって黙っていても大金が入ってくる「打ち出の小槌」となり、莫大な投資資金を難なく確保し、時価総額がトップレベルになるほど、順風満帆の急成長をたどることになった。具体的には2001年度に初めて黒字化すると（売上高8600万ドル、最終利益700万ドル）、翌年には売上高4億3900万ドル、利益は1億ドルに跳ね上がったのである。

これ以後「ユーザーに焦点を絞れば、他のものはみな後からついてくる」がグーグルの確信になった。

グーグルがリスペクトしたＮＴＴドコモ

２００６年10月、グーグルはユーチューブを16億５０００万ドルで買収した。ユーチューブはユーザーが撮った映像をアップする動画サイトだが、急拡大したために資金が足りなくなっていた。

実はグーグルもユーチューブと似た動画サイト「グーグル・ビデオ」を立ち上げていたが、失敗に終わっている（サービス終了は２０１１年）。当時はマスコミから「もはやグーグルはすべて自力で立ち上げることができないことを認めた」と指摘された。

それを実証するかのように、ＳＮＳ（ソーシャル・ネットワーキング・サービス）も、後発のフェイスブックに負けてしまった。また「つぶやき」と呼ばれる短いメッセージを発信するツイッターにも置いていかれた。これらのＳＮＳは広大なネット空間に、グーグルにはない「コミュニティ」を生み出した。

グーグルの情報流通が中央集権型だとすると、ＳＮＳは個人を軸にした新しい情報共有の枠組みだ。もしユーザーが個人的なネットワークで情報を集めるようになれば、将来的に検索サービスを脅かす可能性も考えられる。

グーグルに弱点があるとすれば、こうした状況変化に遅れたことだろう。最先端技術の開発ばかりに目を向けるあまり、既存技術の改善的なものには興味がなく、身近な変化を取りこぼしたというべきかもしれない。したがってグーグルは、Ｍ＆Ａに一層舵を切ることになる。

この頃、シュミットは将来の事業の柱が三つと考えていた。それは一つがテレビを押さえること。そして携帯電話。さらに三つめはクラウド・コンピューティングである。[32] これらを駆使して、近い将来１兆ドルとも予想される世界の広告市場のうち10％をグーグルが取りたいと思った。

携帯電話事業についてはグーグルも取り組んでいたが、電話会社の厳しい管理下にあり満足なソフト開発ができずにいた。そこで、２００５年に携帯電話向けソフト会社アンドロイドを買収し、そのＣＥＯアンディ・ルービンをリーダーに、当初クローズだったアンドロイドをオープンソースＯＳに作り替える試みを始めた。グーグルはインターネットに最適化した携帯通信を、やはり世界中に無料で提供したいと考えていたのだ。

しかし、携帯の電話会社（ＡＴ＆Ｔやベライゾンなど）も端末メーカー（ノキアやサムスンなど）も既得権益にこだわり、端末やＯＳのオープン化は彼らの利益基盤を侵害すると考えていた。だからグーグルと組むのを嫌がったのだ。一方、ルービンやグーグル幹部は、携帯の世界も１９８０年代初めのパソコンと同じ流れになると見ていた。ＩＢＭが初期のパソコン市場をリードしながらハードがコモディティ化する中で結局、市場を制覇したのはソフトを独占したマイクロソフトだった。[33]

シュミットは電話会社と提携しようと奔走したが、ほとんどの会社から拒絶された。２００６年末にシュミットは日本のＮＴＴドコモも訪れている。シュミットは当時のＮＴＴドコモ中村維夫社長にこう語り掛けたという。[34]

「We respect you.（あなた方を尊敬している）」

「こんなにモバイル経由で、日本からグーグルにアクセスされるとは思わなかった。我々は世界中を今の日本のような状況にしたい」

32　章末の［文献２］第11章より。
33　携帯電話市場に関する記述は主に章末の［文献４］第５章によっている。
34　直後二つの引用箇所も含め、このエピソードは章末の［文献13］より。

当時、日本のグーグル検索の3割が携帯からのものだった。iモードの成功を知ったシュミットは来日して、ドコモに提携を持ちかけたのだ。アンドロイドOSにiモードを組み込めないかと。

iモード立上げ時のメンバーの要だった夏野剛は、トップに言った。

「絶対にやるべきですよ。すぐに20人くらいはグーグルに送り込みましょう」

しかしiモードの成功で沸き立つ夏野たち「iモード組」のことを、ドコモ社内は快く思っていなかった。しかも、当時すぐにフリーズしてしまうようなネット通信に比べてケータイこそ最高品質という意識もあった。そんな優越意識から、独自でiモードを世界に普及させたいと、海外の通信企業の買収にもトライしていたのだ。ドコモから特に反応がないまま時間だけが過ぎ、この提携は幻と消えた。

シュミットがドコモをリスペクトしていると言ったのは、お世辞ではない。iモードはパケット通信網でつながる常時通信で、その頃の世界最先端のシステムだった。さらにサードパーティのコンテンツ・プロバイダーが参加しやすい課金体系（手数料率は12％。のちのアップル手数料30％と比べて低かった）で、多彩なコンテンツが参加し百花繚乱《ひゃっかりょうらん》だったのだ。

しかしインターネットは管理者のいない自由なネットワークであり、管理の厳しい通信会社はどこもネットを嫌がった。まして「主流は電話」というプライドが捨てきれず、モバイル・インターネット・サービスを立ち上げるという概念をドコモは理解しようとしなかったという。今となれば「電話は同時通話しかできない不便な音声アプリの一つにすぎない」ともいえ、ｉモードが実現していた電話を超えた機能は、ｉＰｈｏｎｅやアンドロイドが目指したものと要素技術的には同じだったと言えるのだが……。その後グーグルは、ｉモードの開発メンバーを引き抜き、日本の携帯をよく知るグーグル日本法人も巻き込んで、アンドロイドの開発を進めた。

ここで参考までに、アルファベットとＮＴＴドコモの財務諸表を比較したものを図表２－２に示した。ただし、ドコモは２０２０年12月に上場廃止してＮＴＴの完全子会社となり、詳細な数字が開示されなくなったため、上場廃止前の２０２０年９月期までの１年間の数字を採用している。

ＮＴＴドコモは現在もＮＴＴグループの約半分の利益を上げる稼ぎ頭だが、この図表を見

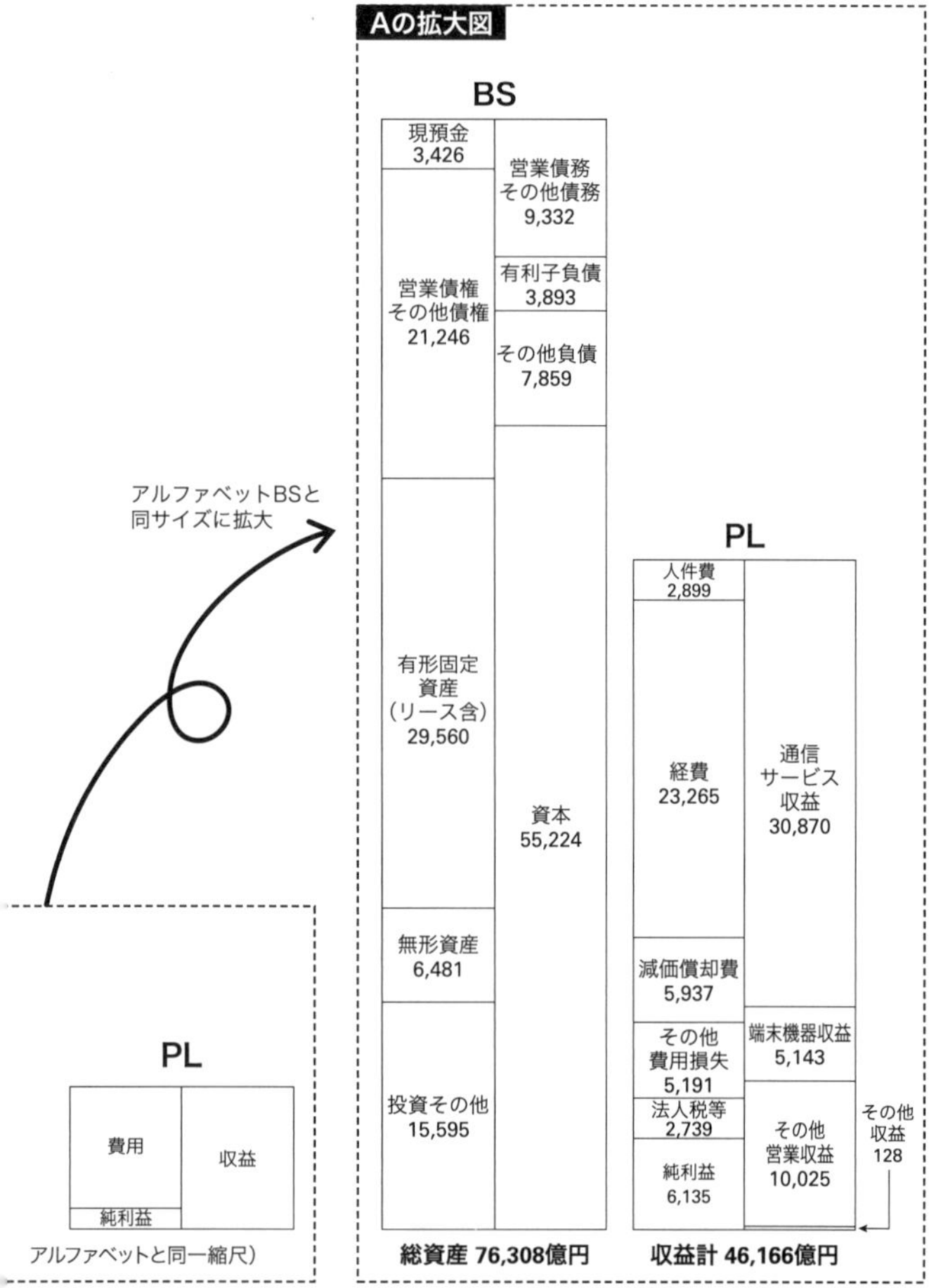

NTTドコモ
（2020年９月期までの１年、単位：億円）

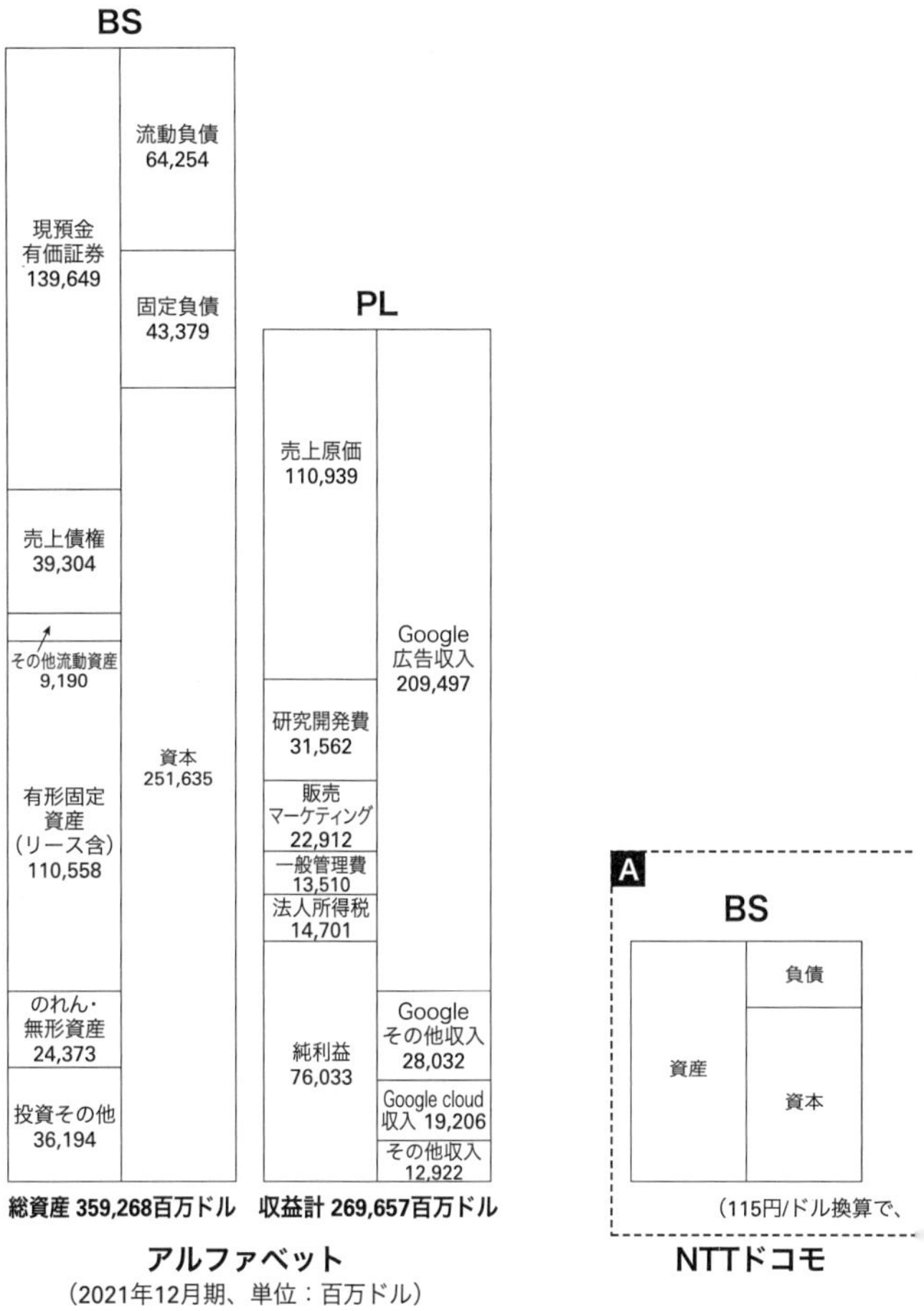

図表2-2　アルファベットとNTTドコモの財務諸表比較

ると、そのドコモの売上高が、アルファベットの純利益よりかなり少ないことがわかる。ビジネスモデルが全く違うといっても、その差には唖然《あぜん》とさせられる。

創業者二人のけしかけ合う効果

経営学のなかでは、二人のリーダーを持った企業の優位性がよく語られる。個性の異なる二人が互いに補佐し合い、経営が補完されるからである。例えば、日本ではホンダの本田宗一郎と藤沢武夫、井深大と盛田昭夫のソニーの他に、松下電器やセコムなどたくさんの事例がある。

グーグルについても、二人で創業したことはＶＣからも好ましいと評価された。具体的に、グーグルではどんな効果があったのか。それは、ともすれば萎みがちな開発のビジョンを、「天才同士がけしかけ合う」ことによって防ぎ、高い理想を維持したことではないかと考えられる。それは、こんな事例に表れている。

上場して3カ月後に、グーグルはそれまで交渉を進めていた地図サービスのベンチャー・キーホールと買収の調印をした。検索クエリーの25%が地図に何かしら関連するもの（レストランやホテルの場所など）だったが、グーグルはまだ地図を持っていなかったのだ。

キーホールのＣＥＯがペイジらに自分たちの事業目標について質問した。「１０００万人のユーザー獲得と１０００万ドルの売上を上げるのと、どちらを望むか？」と。すると、ペイジは「もっと物事を大きく考えた方がいい」と答えたという。

また、後にキーホールのメンバーが、地図の基本データを外部から購入する予算を求めた時のこと。まず地球上で人口の多い２００都市のデータを購入するための資金として３００万ドル必要だった。

すると、「それだけ？」とブリンは言った。ペイジも続けて言った。

「ライブラリをまるごと買い上げたらどう？」

「全８００万平方キロメートル分をさ」[35]

それは全地球分のデータ量であり、過去に買い上げたのはアメリカ国防総省だけだった。

35 直後の引用も含め、このエピソードは章末の［文献7］より。

資金の余裕だけでなく、こんなデータ量をのみ込むことができるのは、当時既にデータセンターを世界に10カ所以上、40万台のサーバーを持っているグーグルだからこその話だった。しかし地図サービスは無料で提供する予定だったので（これがむしろグーグラーの常識だった）、目先の経済合理性を全く無視したような創業者コンビの対応に、キーホールのメンバーは驚いた。二人はスタッフの頭をできる限り常識の範囲から引き離そうと、お互いにけしかけているようだったという。

グーグルはその後さらに、世界のマップを自前で構築していく。そして航空写真だけでなく、ストリート・ビューも自前でデータ収集し、グーグルアースの機能拡張をして、自動運転車にまでつなげつつあり、世界を驚かせたことは周知の通りである。また、このおかげでエアビーアンドビーやウーバーなどが育っていった。

大発明の弊害

一方、グーグルアースには後日談もある。彼らの高い理想のおかげで、今日我々は多大な恩恵を受けているわけだが、情報を取り扱うゆえに様々な軋轢や問題も浮かび上がったのだ。

例えば、台湾が中国の一部のように表示されていた時、当然の結果として台湾だけでなく抗議デモが巻き起こった。また「日本海」という表示は、韓国から抗議が殺到した。インドとパキスタンの国境、ウクライナやパレスチナの表記なども、国家間の問題にまで発展した。地名や境界という情報は、人々の思いや政治によって変わってくるものである。呼称は人々の認識による。そして人々の認識は、人によって異なる。

「世界中の情報を整理し、世界中の人々がアクセスできて使えるようにする」

この理念は理想的だが、本質的に情報とはグーグルの考えで整理できるものではない。とはいえ、大学院生の素直さと無邪気さがなければ、グーグルは立ち上がらなかったはずだ。ベンチャーとは、障害の数々を意識しない若者のなせる業なのだ。

また、Ｇメールも大成功を収めた一方で、のちに問題を引き起こした。グーグルのマネタイズのために、メール内容が広告に反映される機能が報道されると、薄気味悪い印象が広がったのである。

グーグルは、ユーザーが発信するコンテンツに関与できる立場にいる。ここがＯＳやオフィスなどのソフトを提供してきたマイクロソフトとの違いである。それらのサービスでは、マイクロソフトはユーザーが受発信する情報コンテンツに原則アクセスできなかったのだ。

一方、Ｇメールはクラウド・サービスのアプリケーションであり、人々の個人情報や極秘情報がすべてグーグルのサーバーに格納される。グーグルに貴重な世界の個人情報が「整理されている」と想像することは、薄気味悪さではとどまらない恐ろしさが潜んでいる。

こんなことがあって、ある時シュミットは古参のグーグラーを社内のカフェに集めて、グーグルの中核理念や共有すべき価値観、行動規範をまとめるよう依頼した。

「社会のために」「ユーザー第一主義を忘れない」「イノベイティブな従業員」などなど。ブレーンストーミングによってホワイトボードに書きだされた文言案は、大企業によくある決まり文句が多かった。議論は堂々巡りのまま時間だけが過ぎていく。そんな時にある社員が言った。「すべて『邪悪になってはいけない（Don’t be evil.）』という言葉に集約されるんじゃないか」と。

この言葉には皆がストンと肚《はら》落《お》ちするインパクトがあった。それは情報に携わる企業ゆえに感じる責任と恐ろしさが背景にあったのだろう。社内にもアッという間に広まった。

しかし情報に絡まる問題の広がりは、止むことはなかった。問題はやがて著作権やプライバシーの侵害、政治の介入など、様々な問題の火種へと発展していくことになる。

こうしたことが続いたからかは定かでないが、「邪悪になるな」は２０１０年代半ばにグーグルの共有価値観から削られ、今は使われていない。

巨大研究会社をリードするインド人

冒頭で述べたように、グーグルは２０１８年5月に持ち株会社アルファベットとなった。グーグルはインターネット検索と広告事業を中核とする事業子会社となり、自動車や医療などの新規事業は「Other Bets（その他の賭け）」、つまりは別会社として傘下に置かれた。持ち株会社の傘下には、グーグルの他に先端技術開発部門であるグーグルX、そしてグーグルXから事業化に向けて独立した事業（これを社内では〝卒業〟＝Graduate from Xと呼ぶ）がある。

２０１９年12月、アルファベットは創業者コンビの退任を発表した。ペイジがＣＥＯを、ブリンもプレジデントを退任し、グーグルＣＥＯのスンダー・ピチャイがアルファベットＣＥＯを兼任することになった。ただし、アルファベットの議決権の51・４％を依然保有するペイジとブリンは、取締役会には留まる。

グーグルの今の強みの一つにピチャイの存在があるといえよう。

シリコンバレーに限らないが、米国におけるインドからの移民の活躍は半端ではない。マイクロソフトＣＥＯのサティア・ナデラや、アドビＣＥＯのシャンタヌ・ナラヤン、ＩＢＭのＣＥＯであるアービンド・クリシュナ、ソフトバンク後継者に指名されたことのあるニケシュ・アローラ（元グーグル）など、インド人トップは夥しい数に達する。多くは人口大国インドの激烈な競争を勝ち抜いて米国に渡ってきたインド人一世であり、数学や理工学に精通した天才たちなのだ。日本が移民を拒絶しているのと、対照的である。

一方で、ピチャイが率いるアルファベットには、今では社員数15万人を超える大所帯となり、数々の逆風も吹いている。

一つは規制当局による独禁法や税の規制強化だ。

２０１８年7月、ＥＵの欧州委員会は独占禁止法に違反しているとして、グーグルに43億４０００万ユーロの制裁金を科した。ＥＵは、グーグルがサムソンなど端末メーカーとの契約において優越的地位を乱用していると非難した。また２０１９年3月にも、グーグルはＥＵから14億９０００万ユーロの制裁金を命じられている。

二つ目の逆風は従業員との関係悪化である。２０１８年11月、アンドロイドを率いたアンディ・ルービンによるセクシュアルハラスメントが報道されたことで、世界中のグーグル社員2万人が抗議デモに加わったことが発端となった。
こうした逆風が吹く中、ペイジとブリンは退任に当たって、次のような声明を発表している。
「僕たちの使命は、世界の情報を手に入れやすく、そして役立てられるようにすること。ここで言っているのは全世界の情報という意味だよ。将来はいつ誰がどんな情報を求めても、それが瞬時に手に入るようにしたい、というのが僕の願いなんだ」（ブリン）
「技術の力で生活はまだまだよくなると思うんだ。世界には可能性があふれている。今、グーグルが取り組んでいることは、そのうちの０・１％程度かもしれない。テクノロジー会社を全部集めたって、せいぜい１％くらいにしかならないだろう。つまり99％が未開拓の分野だということだよ」（ペイジ[36]）

36　章末の［文献9］より。

逆風にさらされながらも「情報革命はどこまでも続く」と言うブリン。そして現在までの革命の推進レベルは「わずか1%にすぎない」と言うペイジ。

二人のような発想豊かな若者がこれからも出現し、それをインドをはじめとする世界から集まった天才たちが加速させ、そして誰も予想できない未来を開く可能性に満ちたシリコンバレーのエコシステム。それを支える米国。

グーグルは、様々な彼我の違いを日本に教えてくれている。

主な参考文献

［文献１］Vise, D. A. & Malseed, M. (2005) : *The Google Story: Inside the Hottest Business, Media, and Technology Success of Our Time*, Delacorte Press.（田村理香訳『Google 誕生：ガレージで生まれたサーチ・モンスター』イースト・プレス、２００６年）

［文献２］Auletta, K. (2009) : *Googled: The End of the World As We Know It*, Penguin Press.（土方奈美訳『グーグル秘録：完全なる破壊』文藝春秋、２０１０年）

［文献３］Brandt, L. (2009) : *Inside Larry & Sergey's Brain*, Penguin Press.（土方奈美訳『グーグルが描く未来：二人の天才経営者は何を目指しているのか?』武田ランダムハウスジャパン、２０１０年）

［文献４］Levy, S. (2011) : *In the Plex: How Google Thinks, Works, and Shapes Our Lives*, Simon & Schuster.（仲達志、池村千秋訳『グーグル　ネット覇者の真実：追われる立場から追う立場へ』CCCメディアハウス、２０１１年）

［文献５］Schmidt, E. and Rosenberg, J. (2014) : *How Google Works*, Grand Central Publishing.（土方奈美訳『How Google Works（ハウ・グーグル・ワークス）：私たちの働き方とマネジメント』日本経済新聞出版、２０１４年）

［文献６］Bock, L.（2015）：*Work Rules!: Insights from Inside Google That Will Transform How You Live And Lead*, Hachette Book Group.（鬼澤忍ほか訳『ワーク・ルールズ！：君の生き方とリーダーシップを変える』東洋経済新報社、２０１５年）

［文献７］Kilday, B.（2018）：*Never Lost Again: The Google Mapping Revolution That sparked New Industries and Augmented Our Reality*, Harper Collins Publishers.（大熊希美訳『Never Lost Again：グーグルマップ誕生』ＴＡＣ出版、２０１８年）

［文献８］Schmidt, E., Rosenberg, J. and Eagle, A.（2019）：*Trillion Dollar Coach: The Leadership Playbook of Silicon Valley's Bill Campbell*, Harper Business.（櫻井祐子訳『１兆ドルコーチ：シリコンバレーのレジェンド　ビル・キャンベルの成功の教え』ダイヤモンド社、２０１９年）

［文献９］Beahm, G.（2014）：*The Google Boys, Sergey Brin and Larry Page In Their Own Words*, Agate Imprint.（ジョージ・ビーム編著、林信行監訳・解説『Google Boys　グーグルをつくった男たちが「10年後」を教えてくれる：ラリー・ペイジ＆セルゲイ・ブリンの言葉から私たちは何を活かせるか』三笠書房、２０１４年）

［文献10］Hastings, R. and Meyer, E.（2020）：*NO RULES: Netflix and the Culture of Reinvention*, Virgin Books.（土方奈美訳『NO RULES（ノー・ルールズ）：世界一「自由」な会社、ＮＥＴＦＬＩＸ』日本経済新聞出版、２０２０年）

［文献11］日本経済新聞、２０２１年10月９日

［文献12］日本経済新聞、２０２１年10月１日
［文献13］日経産業新聞、２０１８年７月11日
［文献14］日本経済新聞、２０２２年２月24日

第３章

フェイスブック（メタ）

時価総額世界トップクラスに昇りつめた学生ベンチャー

Facebook

フェイスブック（メタ）のビジネスとは？

２０２１年10月、フェイスブック[1]はメタ・プラットフォームズ（以下、メタ）に社名を変更した。同社はフェイスブックをはじめ、インスタグラムやWhatsApp Messengerなど、世界最大級のＳＮＳを運営している。これらのサービスの利用者は２０２１年末時点で計36億人に達し（ちなみにＬＩＮＥのユーザー数は日本の他、台湾、タイ、インドネシア４カ国で約１億９０００万人[2]）、世界人口の約４割の人々が同社のサービスを利用していることになる。しかも創業は２００４年で、ＧＡＦＡの中では最も社歴が浅い。

メタが運営するＳＮＳの利用は基本的に無料だ。同社はどんなビジネスをしているのだろう。その内訳を見ると、２０２１年の収益は１１７９億ドル（約13・6兆円）で、その97％が広告収入である。

メタが提供する広告サービスが人気なのは、広告表示対象を的確に絞り込むことができるからだ。フェイスブックのユーザーは、生年月日、性別、居住地域、出身校や勤め先などを登録する。これらのユーザー属性と「いいね！」ボタンのクリックといったサービス利用の

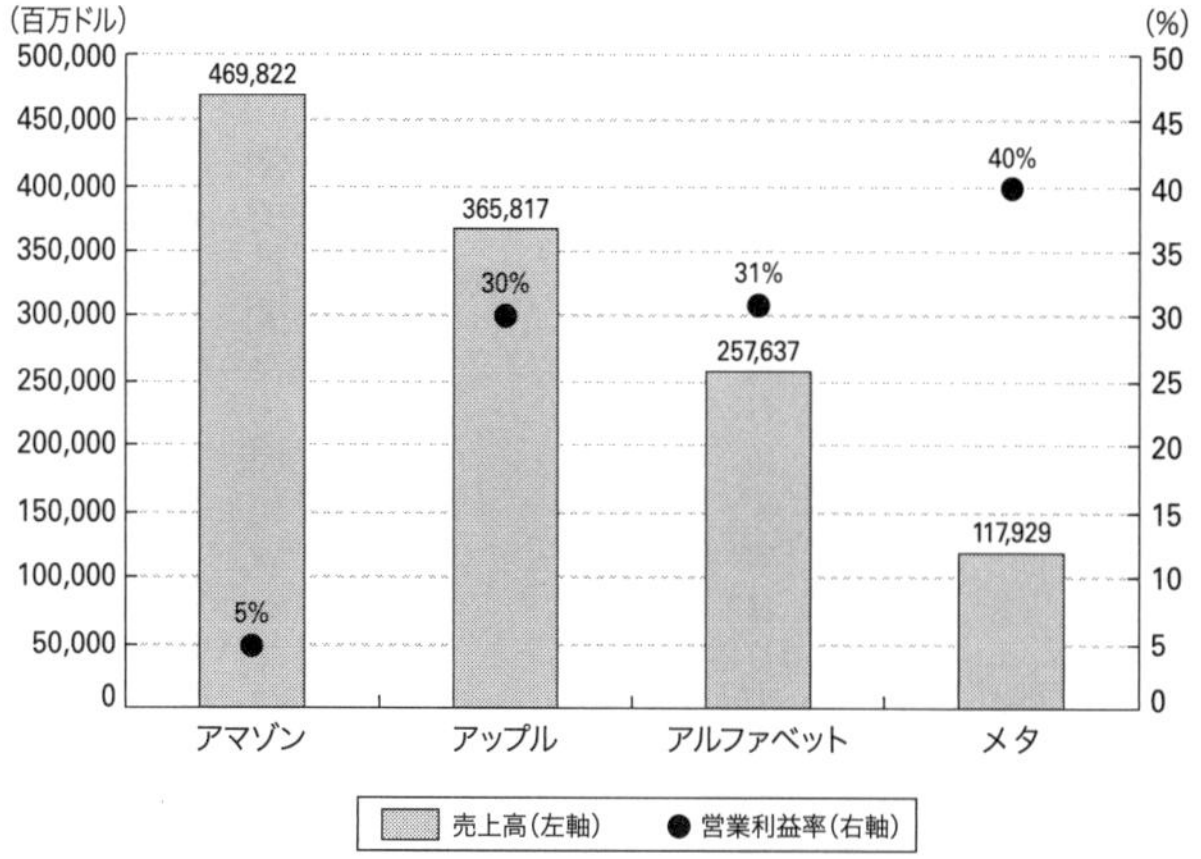

図表3-1　GAFAの売上高と営業利益率比較

動向を組み合わせて分析すれば、ユーザーの好みや行動特性までも把握できる。フェイスブックはこうした情報を広告出稿者に提供してきたので、広告主は自分の製品やサービスに一番フィットしそうなユーザーを狙い撃ちできるのだ（ターゲティング広告）。

また、メタで注目すべきはその利益率の高さである。図表３－１はＧＡＦＡの営業利益率の比較だが、メタが圧倒的に高い。広告事業は、スマホなどを製造する必要も、配送センターを構える必要もなく、コストが低く抑えられるからである。

この利益率の高さによって、将来への投資が可能になり、メタの研究開発費は年間２４７億ドル（約２・８兆円、２０２１年）を超える。

そして、このメタを創業以来リードし、世界最大級の企業に育てたのが、１９８４年生まれの若きＣＥＯマーク・ザッカーバーグ（ザック）だ。彼は大学生だった19歳の時に、学生寮の一室で仲間と一緒にフェイスブックを創業した。ビジネス経験を全くもたない一介の大学生が、どのようにして世界最大のＳＮＳ企業を作ることができたのか。その歴史と秘密を紐解いていこう（以降の歴史の記述は、章末に記載した参考文献をもとにしている）。

トランプ大統領のＳＮＳ発信

２０２１年１月６日、アメリカの首都ワシントンにある連邦議会議事堂で起こった事件には、アメリカの暗い一面を見るようで唖然とした人も多かったのではなかろうか。議事堂の内部に、トランプ大統領（当時）の支持者らが大挙して乱入した一件である。

トランプ氏はその直前、フェイスブックやツイッターなどのＳＮＳを通じて、大統領選挙でバイデン氏当選の投票集計が不正だったとして、支持者らに反旗の闘争を呼びかけた。騒動はこれに呼応したものだった。

翌日、ザックはトランプ氏のアカウントについて、政権移行終了時まで凍結する方針を発表する（最終的には3年間アクセス禁止）。また彼は「過去24時間の衝撃的な出来事は、バイデン氏への平和的で合法的な政権移行を妨害しようとしていることが明らかだ」と説明した。

一方で、ニューヨーク・タイムズ紙はＦＢ社の決断は「正しい」としながらも「彼らがまるで最高裁判事のように振る舞うのを見ると、気持ち悪さが残る」とコメントもした。

ＦＢ社とニューヨーク・タイムズ紙、どちらの言い分もわかる気がする。ここにフェイスブックの成功要因と問題が潜んでいるのだろう。政治の分野に絞ってみれば、フェイスブックは功績の半面、数々の事件も起こしてきた。

例えば、２０１０年12月、北アフリカの国チュニジアでは地方役人の横暴な振る舞いに抗議した青年が焼身自殺を図り、その映像がフェイスブックに投稿された。それがきっかけと

1　この章ではフェイスブック社を以下「ＦＢ社」（ただし２０２１年10月末の社名変更以降の記述については「メタ社」）、同社サービスのfacebookは「フェイスブック」、ＣＥＯのマーク・ザッカーバーグ氏については「ザック」（同氏の愛称）と表記する。

2　Ｚホールディングス「決算説明会資料（２０２１年度第３四半期）」（https://www.z-holdings.co.jp/ja/ir/library/presentations/main/01/teaserItems2/0/linkList/01/link/jp2021q3_presentation.pdf）より。

なり暴動が発生。政権転覆につながった。いわゆる「ジャスミン革命」である。

さらに、これが口火となり「アラブの春」が続いた。リビアやアルジェリアなど北アフリカ諸国、続いて中東諸国に飛び火し、独裁政権が次々と倒れた。これらもＳＮＳがきっかけだった。フェイスブックは世界中の不満を抱く人々にとって、抗議行動を持ち込める場所の先駆けとなった。それゆえ中国政府は、天安門事件20周年の２００９年６月４日以来、フェイスブックを完全に遮断している。

一方で、先進国の政治家はこうしたＳＮＳの力を積極的に利用した。

例えば、２００８年11月の米大統領選挙で、バラク・オバマ候補は若い世代の圧倒的な支持を集めて勝利したが、この原動力はオバマ陣営がネットを駆使して、若者層をつかんだからだった。このキャンペーンを率いたのが、ＦＢ社の創業メンバーでハーバード大学時代のザックのルームメイトであったクリス・ヒューズである。彼は創業時のＦＢ社の広報担当だったが、アフガン侵攻やイラク戦争を進めたブッシュ政権への反感からオバマ陣営に参加したのだ。

時は流れ、２０１６年の米大統領選挙では、ドナルド・トランプとヒラリー・クリントン両候補の一騎打ちとなった。ノーマルな選挙活動では勝てないと踏んだトランプ陣営は、オバマ選挙戦を研究し、フェイスブックに活路を見出す。様々な広告を試作し、どのユーザーがどの広告に反応したかを徹底解析した。そして莫大な資金を投入して、様々なターゲット向け広告を繰り出した。「いいね！」が押されたトランプ陣営の広告は、瞬く間にフェイスブック内で拡散し、支持率を上げていった。また、当時のフェイスブックのサイト内には事実を歪めたニュース記事、いわゆる「フェイクニュース」が多々登場するようになるが、当初ＦＢ社は静観していた。

あえて静観することはＦＢ社のポリシーでもあった。なぜならザックは言論の自由を重んじ、一企業が投稿内容の良し悪しを判断するのは危険と考えていたからだ。

しかし、選挙戦が進むにつれてクリントン候補にネガティブなフェイクニュースが飛躍的に増え拡散した。そのニュースの多くは、なぜかマケドニアの人口５万５０００人の小さな町ベレスから発信されていた。これは、実は広告収入を狙った人々の仕業だった。フェイスブック経由でユーザーを誘導し、広告収入を得ようとしたのだ。

選挙結果は大方の予想を裏切り、トランプ候補の勝利に終わった。世論には「選挙結果はフェイスブックの悪影響ではないか？」という疑念が湧く。そして選挙の２日後、ザックがメディアでこう発言した。

「フェイスブックに流れたフェイクニュースが、選挙結果に影響を与えただなんて、そんな見方はバカげている。コンテンツ全体のごく一部にすぎないのだし」

しかしこれは完全にザックの空振りだった。経験者であるオバマの見方は違った。

「フェイスブック上にあれば、人々はそれを信じてしまう。そしてフェイクニュースが度重なると、ナンセンスな虚構が出来上がってしまう」[3]

この一件には、さらにもう一つの作為が重なった。２０１７年5月、米タイム誌が２０１６年大統領選へのロシアの関与を報じたのである。[4]

ロシアは、フェイスブックの広告を使ってプロパガンダ活動をしたという。ＦＢ社が調査したところ、「トランプ」や「ヒラリー」という文字が入った広告の一部が、ロシア政府と関係の深いプロパガンダ企業ＩＲＡによって配信されていたことが明らかになった。これらの広告は、アメリカ人の分断や人種差別を煽る内容だったのだ。

一方、ザックは一連の出来事を自社の問題というより、世界的な社会不安や分断の表れとして捉えようとした。そして世界を一つに変容させられる社会インフラがますます必要だと訴えた。それを担いうるインフラこそが、フェイスブックだと。

そして２０１７年６月、ザックは新しいＦＢ社のミッションを発表する。

「コミュニティづくりを応援し、人と人がより身近になる世界を実現する」

「かつて人と人とをつなぐサポートをすることで、自然と世界はより良くなると考えていましたが、世界は未だ分断のままです。ただつなげるのではなく、人と人がより身近になるような世界の実現に注力する必要があります。…皆が目的とコミュニティの意識を持った世界を構築しなければなりません。それによって、世界はより身近なものになるのです。私たちにはそれができます！[5]」

3　直前の引用も含め章末の［文献６］の序章および第14章より。いずれも筆者訳。
4　https://time.com/4783932/inside-russia-social-media-war-america/ より。
5　ＦＢ社のＨＰ（https://about.facebook.com/company-info/）より。筆者訳。

この考え方は額面通り受け取れば、共感できると思う。確かに、人と人がつながれば世界は身近になる。しかし同時に人がつながると暴動も起こるのだ。そしてフェイスブックが強力な政治ツールとなり、フェイクニュースをはじめ悪影響までもたらしたのも事実である。

ここにフェイスブックの性格の両面、同じコインの裏表が表れている。

無邪気で非常識なザ・フェイスブックの誕生

世界ユーザーが30億人に達するＳＮＳトップシェアのフェイスブックは、今や問題噴出だ。しかしそれは、初めから半ばわかっていたことである。このことはザックが立ち上げたサイトが、フェイスブック以前のものも含めて問題だらけだったことからもわかる。

２００２年９月、ザックはハーバード大学に進学した。幼い頃からプログラミング・オタクだったザックは、大学の授業に心惹かれるものがなく、プログラミング以外には全くと言っていいほど興味がなかった。

彼はノートに、プログラムの開発テーマのアイデアをいくつも書き留めていた。大学２年生の時には『コースマッチ』という学生向けのウェブサイトをたった１週間で作り上げる。

それは、それぞれの学生が受講している授業を調べることができた。サイトは学内ですぐに人気となる。その理由の一つは、気になる学生の受講授業を知りたがったからだ。無邪気な若者らしい動機だ。

その後、ザックはある女学生とのトラブルのウサ晴らしもあって『フェイスマッシュ』と名づけたサイトも作る。このサイトは、同性のハーバード学生の顔写真を2枚並べ、どちらが魅了的かをクリックして選ばせるもので、最終的に魅力度ランキングができあがる仕掛けだった。

学生の顔写真は、大学の各学生寮がそれぞれ別個に管理していたものを、ハッキングしてダウンロードし、ザックは3日間で作り上げてしまった。若者が好みそうな興味本位のサイトは面白がられ、瞬く間にクチコミで全学に広まった。

当然のことながら、『フェイスマッシュ』は特にハーバードの女学生団体から猛烈な反発を受け、間もなく閉鎖に追いやられる。ザックは大学から呼び出され、学内のシステムをハッキングし、プライバシーを侵害したとして約半年間の観察処分を申し渡された。

彼は処分自体気にならなかったが、さすがに目立つ行動は避け、他の学生のプログラミングの手伝いなどをしていた。その頃、『ハーバード・コネクション』というサイトを企画した上級生から、プログラム開発を依頼される。それは学生向けのデートのためのサイトで、相手を見つけたり、デートで使えるクラブのクーポンがもらえたりするサービスを目指していた。

しかし、ザックはサイトのテーマが「デート」であることにつまらなさを感じ、学生同士の交流サイトの構想を自ら温め、やがて没頭するようになる。２００３年当時『フレンドスター』や『マイスペース』といった、ユーザー同士が交流するＳＮＳはすでに流行していて、学生向けＳＮＳというアイデア自体は珍しいものではなかった。[6] そして、２００４年２月４日にザックは『ザ・フェイスブック』を公開した。

「face book」とは、大学で新入生などに配布される顔写真入りのプロフィール集のことである。新入生同士の交流を容易にするために以前から配布されていて、「ネット版」が欲しいという声は強かったのだが、大学はこれに及び腰だった。

著者の一人・山根が慶應ビジネススクールで同窓会担当教員だった頃、ハーバードＯＢから同窓会で出席予定者だけの「face book」が配布されたことがあると聞いた。同窓会といっても知らない者同士が多く集まるわけで、それがあれば世代を超えた懇親に役立つわけである。

早速「それをわが校の同窓会でも作ろう！」と提案したのだが……。当時は既に個人情報の扱いに神経質になった頃で、慶應全学で名簿作成はタブー視されるようになっていた。結局、同窓会版 face book を作ることはできなかった。

だからハーバードもネット版 face book には及び腰だったはずだ。当然である。

だが、大学2年生のザックは無邪気で、個人情報などには無頓着だった。つまり「問題の起こりそうな企画は、いかがなものか」的常識を持たなかったからこその創業だった。そして後々にいくつもの問題を引き起こすことは、想定されて当然だったのだ。

ユーザーに入力させるという発想

ただしザックも考えた。『フェイスマッシュ』の時にプライバシー侵害で非難されたので、こうした法的トラブルを避けるには、ユーザー自身に情報をアップさせればいい、と。これはブレークスルーだった。ザックがこのサイトを試してみるよう数人の友達に勧めたところ、

6　実際にザックは「アイデアを盗用した」などと非難されて訴訟をいくつか起こされている。

サービスは瞬く間に学内に広がり、最初の１カ月で何と学部生の半数以上が登録したという。『ザ・フェイスブック』では登録可能者を「@harvard.edu」のアドレスを持つ、つまり学生と教職員に限定していた。登録者の素性が明らかなことに安心感をもった学生たちは、受講する講義、電話番号や興味のある関心事、好きな本、音楽などをどんどん登録していく。理想に走りがちな学生にとって個人情報の開放はフィットした。

もちろん、この頃のウェブは既に匿名が常識だった。先行したＳＮＳをはじめ、例えばＡＯＬですらハンドルネームに実名を使うユーザーはほとんどいなかった。だからこそ学内限定のスタートが幸いした。実名や実像をアップすることに抵抗感がなかったことが、のちの成功をもたらしたのだ。

当時、サイト側が用意するコンテンツはなかった。コンテンツを提供するのはすべてユーザー。いわゆるＣＧＭ（Consumer Generated Media）の走りである。[7]

もちろん、サイトには若者らしい好奇心を誘う要素も入れてあった。プロフィールの登録では「既婚・未婚」や「特定の交際相手がいる・いない」なども選択できた。そしてユーザーが誘った友達がフェイスブックに登録すると、友達一覧に表示された。他にも「ポーク」という一見すると奇妙な機能があった。これは他のユーザーをクリックすると、誰がポークしたか（つまり誰が自分のプロフィールにアクセスしたか）が相手に通知される。ポークされた側は、ポークし返すことができた。ザックはこの機能の使われ方について知らぬふりをしていたが、出会い系サイトの含みがあった。

しかし多くのユーザーは前向きで、地方の高校からやってきた、友達がほとんどいない新入生はこのサイトが大学生活に欠かせないものになる。そのうち登録しない人は、後ろ向きな人とすら見られるようになった。

10億円でも譲りません

当時、ザックはこのサイトを自分のポケットマネーで運用していた。しかし、ユーザーが増え続けてサーバー増強が必要になり、資金が足りなくなった。すると、資産家子息の友人

7　ちなみにフェイスブックは多言語化が大きな課題だった。そしてザックたちが頼ったのは、やはりユーザーである。非英語圏で英語版サービスを使っているユーザーに、「フェイスブックを、あなたの国の言語に翻訳するのをお手伝いいただけませんか」というお願い文が表示されると、何とわずか数カ月の間に数百の言語に対応できた。その国の言語を理解する社員が社内に一人もいない国においてすら、サービス展開が可能になったのだ。

を巻き込んでサイトの運営を続けた。さらに、プロジェクトには学生寮でザックのルームメイトだったダスティン・モスコヴィッツやヒューズも、それぞれプログラマー、広報担当として加わった。

　サイトの運営にある程度目途がついたザックの次の関心は、別の大学へ広げることだった。そしてコロンビア大学を皮切りにスタンフォード大学、イェール大学と、次々に有名大学へ広げていった。破竹の勢いで広がる『ザ・フェイスブック』に、誕生からわずか4カ月にもかかわらず、1000万ドルで買収したいという投資家さえ現れた。しかし、ザックに会社を売る気持ちは全くなかった[8]。

　ここにザックの面白い一面が表れている。学生が作って4カ月しか経っていない情報サイトに、日本円にして10億円を超える金額で買収提案が来た時に、売る誘惑に負けない19歳がどれだけいるだろうか。日本では、立ち上げたベンチャーを出口戦略と称して、早々に売ってお金に換える起業家が多い、と嘆くベンチャーキャピタリストがいた。小さな金銭的成功で満足する起業家の姿は少し残念な気もする。

　一方、ザックは会社を売るなどとは微塵《みじん》も考えなかった。

シリコンバレーとの出会い

その年の夏休み、ザックは『ザ・フェイスブック』の拡大に注力しようと、西海岸シリコンバレーのパロアルトに一軒家を借り、仲間と一緒に滞在することにした。東海岸にあるハーバードから、わざわざシリコンバレーを目指したのは、ＩＴ業界の歴史を作ったエリアを自らの目で見てみたかったからだ。これは結果的に大成功だった。

ある日、ザックはパロアルトの路上で偶然ショーン・パーカーと出会う。パーカーは19歳の時、音楽ファイル共有サイト『ナップスター』を立ち上げたメンバーの一人だった。このサービスは一時大ブームを巻き起こしたが、著作権を無視したフリーの音楽ファイル交換の責任を問われて、レコード会社やアーティストから訴訟を起こされ閉鎖に追い込まれていた。パーカーは若くして栄光と挫折を経験した人物として、シリコンバレーでは有名な存在だったのだ。

8　章末の［文献１］第２章より。

『ナップスター』も一種のＳＮＳであり、その経験を通じてＳＮＳに大きな可能性を感じていたパーカーは、彼らの家にころがり込んできた。彼は、過去の輝かしい成功の思い出や失敗談の数々を語った。ビジネス経験がないザックたちは夢中になってパーカーの話を聞いた。ザックは４歳年上の彼を慕い、二人は借家にあった小さなプールの傍らでよく話をした。

ある日、ザックはパーカーに尋ねた。

「これって本当に長続きすると思うかい？」[9]

当時のザックには、自分たちのＳＮＳの成功がまだ確信できていなかったのだ。

「そう思うね。僕たちがヘマさえしなければ長続きしない理由がない」

ザックはパーカーからさらにいろいろなことが学べると思い、事業を法人化して社長になってもらった。パーカーはビジネス面でチームをリードしていった。彼は当時のザックについてこう回想している。

「マークは『ちょいと頑張ってひと儲けしよう』などとは考えていなかった。…それどころか『永続的な文化的影響を与えるようなサービスを建設して世界を征服しよう』と望んでいた。しかし当時のマークは、その意味がまだ本当にわかっていなかった。何といってもまだ学部学生にすぎなかったんだ」

パーカーは投資家探しを始め、ザックを有名なベンチャーキャピタリストであったピーター・シールに引き合わせる。ザックはシールに会う時もTシャツ・短パンにサンダル履きというオいつもの格好で現れた。

シールはやがて、プレゼンにちりばめられた数値に釘付けになる。登録ユーザーの65％が毎日ログインし、毎週少なくとも一度アクセスする人は全体の9割に達した。成長スピードは1日に伸び率3％という日すらあり、想像をはるかに超えていた。[10]

9　直後二つの発言も含め章末の［文献1］第2章より。

10　章末の［文献1］第5章より。

シールのスタッフが「何かの間違いでは？」と確認を求めたが、数値は正しかった。むしろ彼らが周囲の若者をつかまえて「このサイトを使ったことある？」と聞くと「使っているどころか、生活の一部だよ！」という答えが返ってきた。[11]

シールは、ザックたちの会社に50万ドルの貸付を決めた。会社の価値を４９０万ドルと評価し、うまく進めば貸付金は10・２％の株式に転換される取り決めだった。そして、シールは取締役に就任した。

10カ月で１００万人

夏も終わりに近づいた頃、ザックたちは一つの決断をした。「大学には戻らず、もう少しシリコンバレーに残ろう」

シールから投資を受け入れる前は、サーバー投資資金に事欠いていたため、夏の終わりまでにサービス提供できた大学は50校以下に止まっていた。何百もの他大学が『ザ・フェイスブック』の待ち受けリストに残っていたので、彼らはシリコンバレーに残って、サービス拡大に全力を尽くすことにしたのだ。

すると、２００４年9月だけでユーザーはほぼ倍増して40万人に近づく。翌月21日には50万人に、そして11月末には誕生してわずか10カ月で１００万人を突破した。この頃、ザックは「われわれは世界を変えるんだ」とよく口にするようになる。

急成長が止まらないザックたちの会社には投資家からも引き合いが殺到し始めた。シールからの資金もすぐに足りなくなった。パーカーは数多くのＶＣと交渉し、できるだけ高い会社評価を引き出そうとした。パーカーはいつも強気だった。

そんな時にアクセル・パートナーズというシリコンバレーの老舗ＶＣが食いついてきた。アクセルは、最終的に会社評価額を９８００万ドルに引き上げ、約15%の株式取得で合意にこぎつけた。そして同社パートナーのジム・ブライヤーが取締役に就任した。インターネット・ベンチャーで、この評価額は空前だった。ちなみに、グーグルですら最初の大型資金調達時の会社評価額は７５００万ドルだった。

さらに、アクセルはザックが長期にわたり会社をコントロールすることにも同意した。取締役の定員は5名だが、ザックは自らの１票にプラス空席１名の権限を認められた。つまり

11　章末の［文献6］第4章より。

シールとブライヤーが揃って反対しても、ザックとパーカーが過半数を取れる取り決めだった。これにこだわったのは、実はパーカー。彼は過去に、ＶＣによって自ら創業した会社を追われた経験があり、そんなことが起こらないようザックを周到に守ったのだ。

ザックの行動の裏にはタルムード

ＦＢ社の創業当初のＣＥＯであったパーカーは、２００５年にコカイン所持容疑によって逮捕され、ＦＢ社を去らざるを得なくなった。それ以来、ザックがＣＥＯを務めている。したがってＦＢ社はザックの個性そのものと言っていい。そのザックの個性は、どのように育まれたのだろうか。

マーク・エリオット・ザッカーバーグは１９８４年５月14日生まれ。両親は二人ともユダヤ系労働者階級の出身で、必死に勉強して父は歯科医、母は精神科医になった。医者か弁護士になるのは、社会的成功といわれた時代である。

ザッカーバーグ一家は、ニューヨーク・マンハッタンから北方に25マイルほど離れたニューヨーク州の一軒家に住んでいた。父は１階で歯科を開業し、上の階が家族の住居だった。

母は、努力して得た医師としてのキャリアより、ザックと3人の姉妹の子育てを優先する「教育ママ」だった。

「古き良きユダヤ系の母親というのは、99点の答案用紙を持って家に帰ると、『何で100点じゃないの？』って聞くんだよ」（ザック）[12]

英語で「Jewish Mother（ユダヤの母）」とは、そのまま「教育ママ」という意味で使われる。ユダヤ教では、モーゼが伝えたとされる聖典「タルムード」の教えは、母が伝承するものとされる。

後年、ザックがインテルのアンディ・グローブと会った時に、グローブから「その熱意はどこから来るのか？」と聞かれて、ザックは考えを巡らせた末に「ユダヤ人の母の影響で」と答えている。この答えに、グローブは深く納得したという。

彼もまたハンガリーのユダヤ人家庭に生まれ、ナチスの迫害を命からがら逃れ、ニューヨ

12　章末の［文献6］第1章より。

ークにたどり着いた人物だった。グローブは自伝の献辞に「母に。一度ならず、何度も命を授けてくれたことに感謝」と書いているが、グローブの精神的バックボーンを作ったのも、古き良きユダヤの母だったに違いない。だから二人は深く共感したのだ。[13]

タルムードには、ザックの行動の背景をうかがわせる格言が出てくる（以下はWikipediaなどより）。例えば聖典の伝承は母親の義務、と明快に書かれてある。「これをあなたの子らに教え、あなたが家にいる時も、寝ても起きても、語らなければならない」と。また「最も良い教師とは多くの失敗談を語れる教師である」とあって、これはパーカーのことを指している、とも思える。

ザックがいつも「ミッション」を口にし、大金を提示されても会社を売る気など全く見せず、後述するように自分の財産の99%を慈善団体に寄付すると表明したのも、タルムードの次のような言葉から読み取ることができる。

「お金や物など数えられるものは、幸せをもたらさない。数えられるものを数えた途端、あなたは神から見放される」

「どんなに裕福な金持ちでも、助け合いの精神を持たない人間は、贅沢な料理に塩がないのと同じ」

「人は塵から生まれた。生まれてから得たものに執着するべからず。いずれ人は塵に戻るのだから」

ユダヤの母は偉大であり、こうした言葉の裏付けからザックの姿勢を読み解くと、ザックの信念には並々ならぬ筋の通った軸を感じる。

プログラミング漬けの子供時代

一方ザックの父親はといえば、新しいテクノロジーに目がなく、１９８０年代前半には、当時としてはまだ珍しいパソコンやモデムを既に持っていた。ザックは幼い頃から父のパソコンをおもちゃ代わりに遊んでいたが、６歳の時、自分用のパソコンを買い与えられる。最初はもっぱらゲームを楽しんでいたが、しばらくして「自分でコントロールしたい」と思うようになり、プログラミングの勉強を始める。

10歳の時に、Ｃ＋＋（ウェブアプリ制作で使われるコンピュータ言語）の解説本を買っても

13　章末の［文献5］第3章より。

らう。それを夢中になって読む息子を見て、両親は家庭教師もつけてくれた。

やがて古代ローマを舞台にした戦略ゲームを制作する。また彼は1階の歯科医院と2階に住む家族を結ぶ、ネットでコミュニケーションが取れるシステムを作り、『ザックネット』と名づけた。[14]

その後もザックのプログラミングへの情熱はますます高まっていった。高校の最終学年では卒業制作として同級生と一緒に『Synapse』という音楽を楽しむソフトを開発する。それは、自分が聞いた楽曲の履歴を元に、次に聞きたくなるお薦めの曲を教えてくれるものだった。このソフトには、のちにマイクロソフトなどが数百万ドルでの買い取りをオファーしてきたが、ザックは断った。自分の事業は売らないという姿勢を、ここでも通している。

ビジネス経験ゼロのCEO誕生

『ザ・フェイスブック』の制作時、「facebook.com」のドメイン名は既に他社が登録していた。しかし、資金が潤沢になると、ザックたちはまずそれを譲り受けてサービスの名称から「the」を外した。

そして最も重要な人材の採用に取り組み始める。

大学生しか見ることのできないサイトを、子供じみた大学生が運営する会社に、優秀なエンジニアが来ないことは容易に想像できた。そこで彼らは突飛な作戦に出る。優秀な学生が集まるスタンフォード大学コンピュータサイエンス学科の校舎前で待ち伏せし、トップレベルの学生を夏のインターンに誘った。そしてインターン中に、学校を中退して入社するよう勧誘した。[15] 誘いに乗ったある学生はこんなことを言ったという。

「ジョブズはクールだった。ゲイツも素晴らしい経営者だった。けれどザッカーバーグは僕らのような人間の一人なんだ[16]」

ザックは自分たちと同じ身の丈の人、という点が学生たちを惹きつけた。ＦＢ社はそんな若者たちばかりだったので、午前中のオフィスは人がまばら、午後になってスタッフが出勤

14　章末の［文献6］第1章および［文献1］第2章より。
15　章末の［文献6］第5章より。
16　章末の［文献3］第5章より。

してきた。仕事の熱が高まるのは、夜に入ってからだった。彼らはノートパソコンを叩きながら、たびたび栄養ドリンクを飲みつつ徹夜した。

社員たちはものすごいスピードでソフトを作り上げると、サイトに反映していった。サイトの更新は1日に3〜4回行うこともあった。一般のソフト企業では、何カ月もテストを経てから更新をリリースする。しかし彼らの頭にそれはなかった。だからしばしばサイトはダウンしたが、非難されるどころか、むしろ称賛された。

「おめでとう！　君のおかげでサイトがダウン。素早く動いている証拠だね！」[17]

何と能天気だろう。スピードこそ命、間違えたら直せばいい――。日本のソフト業であれば、徹底してバグをつぶす作業をしてからリリースするはずだが、彼らは違った。若者らしい隙だらけの行き方だが、しかしこれがＦＢ社の基本ポリシーとなる。それに、もともとシリコンバレーでは「Fail Fast」という言葉がよく聞かれ、失敗とは実験であり、多くの市場実験を重ねる行為は恥どころか、名誉あるトライなのである。

２０１２年に、ＦＢ社は株式上場するが、その時に公開されたザックの「株主への手紙」

にもそんなＦＢ社の価値観が表れている。

「・インパクトに焦点を当てる、
・速く動く、
・大胆であれ、
・オープンであれ、
・社会的な価値を生め[18]」

そしてこの価値観が革新につながり、また後々の火種にもなる。

当時ザック個人のストレスも相当だったはずだが、彼がパニックに陥ることはなかった。それどころか、彼はいつも奇妙なほど穏やかで、感情をめったに表に出さない性質だった。「人の話を聞かない」と誤解されることもあった。しかし、それは元来人前で話すのが苦手

17　章末の［文献６］第５章より。
18　ＳＥＣ提出資料（https://www.sec.gov/Archives/edgar/data/1326801/000119312512034517/d287954ds1.htm#toc287954_10）より。筆者訳。

で、10〜15人程度の社員の前ですらもの怖じしていたからである。

「座って話すしかなかったんだ。すごく怖くてね」（ザック[19]）

のちにザックのメンターとなり、ＦＢ社の取締役となるワシントン・ポストＣＥＯのドナルド・グレアムは当時のザックについて、こう言っている。

「マークは今でもぎこちないところがあるが、それが当時はもっとひどかった。何か話しかけると彼は答える前に黙ってしばらく考えた。しかしいったん口を開くと、彼が言うことは一言、一言、重要な意味があった。それが20歳の青年だから驚くべきことだった」

人に対してぎこちないザックだったが、しかし会いたい人物には積極的に会いに出かけた。ビル・ゲイツにはハーバードのコネを使って会った。憧れのスティーブ・ジョブズの元には押しかけていった。

ジョブズはザックをことのほか気に入り、自分の精神的後継者と考えていたようだ。ジョブズの公式伝記の著者・アイザックソンが、ジョブズに「シリコンバレーですごいと思う人物はいるか」と聞いたところ、最初に上がったのがザックだったという。フェイスブックの方向性を見極めるザックの「直感的な感性」に、他人とは思えない親近感を感じていたようだ。[20]

会社は売らない、でも社長には会いたい

ＦＢ社には、その後も名だたる企業から買収提案が次々と舞い込んできた。グーグルは、ザックたちがシリコンバレーに引っ越してきた直後から頻繁にオフィスを訪れ、買収を仄めかしていた。

２００５年３月には、ＭＴＶを傘下に持つメディア大手バイアコムが７５００万ドルで買収したいとオファーしてきた。２００６年６月には、ヤフーが10億ドルを支払う準備がある

19　直後の引用も含め章末の［文献１］第５章より。
20　章末の［文献４］第３章より。

と伝えてきた。そして２００７年後半には、マイクロソフトが１５０億ドルで買収を持ちかけてきた。しかし、ザックはどんな提案にも決して首を縦に振らなかった。

一方で、ザックは買収を目論む企業のトップが会いたいと言ってくると、すぐに会った。彼はこうして企業トップに会うのを、社会経験を持たない自分の貴重な学習機会と捉えていたのだ。ビジネスモデルは？　広告はいくらで売っているのか？　利益率は？　企業トップと会うと、先方の説明よりザックが質問攻めにすることが多かった。

ただ、会合の意図が仲間に説明されないので、ザックが他企業のトップとミーティングするたびに社内からは不安の声が上がった。ザックは会社を売るつもり？　社員からこんな不安が押し寄せ、人事担当者はザックを問い詰める。もちろん、ザックには会社を売るつもりなどさらさらなかった。

「それなら（買収を持ちかける会社トップと）会うのはやめて。あなたはみんなに間違ったメッセージを送っている。あなたはＣＥＯのレッスンを受けなきゃダメよ！」[21]

ＣＥＯのレッスンを受けたことがない弱冠20歳の大学生が、失敗続きとはいえ、なぜ今日に至るまでＣＥＯを務めることができたのだろうか。この点は、ＧＡＦＡ４社の中でも、ＦＢ社の際立った特徴の一つだろう。やはり仕事を通じて学んでいるのだろうか。

経営の勉強方法は大きく分けて三つある。

一つ目はＯＪＴ（On the Job Training）。仕事の実体験を通じて学ぶことだ。二つ目はＯＦＦＪＴ、座学である。ビジネススクールはこれで、本や講座で経営の枠組みや成功原則などを学ぶことができる。

そして三つ目がメンタリング（コーチング）。メンターからの学びである。

日経新聞「私の履歴書」によく、「たまたま出会った経営者の一言が自分を変えた」とか、「上司に諭されて自分の行くべき道が決まった」などのセリフが出てくる。仕事に行き詰まっていた時に、目上の人からインフォーマルに教えられた言葉の数々が心に残っている、という経験をもつ人は多いのではないか。経営者の軸は、メンターの言葉によって形成されることが多い。ＯＪＴやＯＦＦＪＴの学びも、メンターの一言で確信につながったりするのだ。

そう考えた時、ザックにはパーカーやジョブズをはじめとして、多くのメンターがいた。

21　章末の［文献１］第８章より。

対照的にわが国では「社長の顔は入社式以来、見ていない」という社員が多かったりする。またこのご時世もあり、飲み会で諭してくれる上司も少ないのでは、と思う。

ザックは、先達の胸に飛び込んで教えを乞うた。「ＣＥＯのレッスンを！」と言われた後には、実際にリーダーシップ術を教えてくれるコーチについて、レッスンを受けた。また、ワシントン・ポストＣＥＯのグレアムに頼み込んで、彼に数日間ピッタリ付き添い、ＣＥＯの仕事を見学させてもらったこともあった。

週末には座学に励んだ。創業幹部たちとドラッカーの本を読んで議論した。ＯＪＴでも積極的に学ぶ。幹部らと１対１で話し合う時間を持つように努めた。彼は社員に「この会社は誰の手にも渡さない」と何度も説明した。そして会社で何が優先されるかを明確にすることも、徐々に上手くなっていく。社内の動揺は収まった。さらに毎週金曜日午後には社員との公開討論会「マークＱ＆Ａ」が行われるようになり、ザックの経営スタイルも見えるようになった。[22]

ザックの学習意欲は今も止まっていない。毎年、自分に課題を課すのが習慣で、例えば２０１０年の挑戦は「中国語の習得」、２０１３年は「毎日、新しい人と知り合うこと」だった。こうした彼の強烈な学習意欲はおそらくユダヤの母の恩恵なのだろう。

「学ぶことが大切だ。常に新しいことを学びなさい」（タルムードより）

19歳で創業した若者が、聡明で人一倍の努力があったとはいえ、ＣＥＯのレッスンを積み重ねて、ビッグビジネスを率いている。日本なら若いというだけで「経営者には10年早い！」と相手にされないだろうが、経営も勉強すればできるのだ。

ザックを育てたシリコンバレー

ザックの学ぶ姿勢も立派だが、ザックをサポートしたシリコンバレーの人々もまた素晴らしいといえよう。彼らがメンターとなったわけだが、とはいえすべての若者をサポートするわけではない。そこには、サポートしたくなる若者の資質がある。

それは一体何だろうか？

ビジネススクールの学生や卒業生が起業すると、何らかの支援を求めて教師の下にもやってくる。そんなときに、こちらが積極的にサポートしたくなる若者とそうでない人がいるの

22　章末の［文献4］第3章より。この会合は世界中のオフィスにライブ中継される（章末の［文献8］より）。

は事実だ。このことは起業の成否にもつながる。

ザックの「サポートしたくなる資質」は、COOのサンドバーグの言動からも読み取れる。

「彼は、私たちの生き方やコミュニケーションのあり方を変えるものを作りたい」と彼女は言っていたが（後述）、やはりザックのミッションへの姿勢であろう。ザック自身もかつてメディアのインタビューで、会社の経営が楽しいかどうかを聞かれると、笑みを浮かべながら次のように答えている。


「はい。でも僕にとって楽しいかどうかはあまり重要ではありません。すべてはミッションのためです[23]」


それでは、彼のミッション感覚の背景には一体何があるのか。

推測するに、それはドイツなどから流れてきたユダヤ系移民の末裔という血筋が影響しているのではないだろうか。ロックフェラーは、母国イスラエル建国のために資金等で貢献したが、成功した多くのユダヤ人経営者は「民族を救いたい」と考えるようだ。

ザックがユダヤ人を救いたいと考えているかはともかく、「人と人の間の相互理解を進めることができれば、世界平和につながる」と言い続け、そのためにこそＳＮＳというコミュニケーション・ツールを進化させるのが、自分のミッションと考えているのではないだろうか。

ちなみにＦＢ社は２０１２年5月18日、ＮＡＳＤＡＱ市場に上場したが、その翌日、ザックはハーバード大学の同窓生であるプリシラ・チャンとの結婚を発表した。チャンはマサチューセッツ州で生まれ育ったが、両親は元ベトナム在住華僑で、難民ボートに乗ってアメリカに渡ってきた、いわゆるボートピープル二世である。似通った境遇が、二人を結びつけたのだろうか。ザックが中国語を学ぶ一つの理由は、チャンの両親と会話するためだという。

ただしザックはユダヤ教、彼女は仏教徒。二人の娘がいて、チャンはカリフォルニア大学ＳＦ校医学部でも学び、小児科医の資格を得て慈善家として活動している。２０１５年12月には、二人が所有するＦＢ社株の99％を、福祉と教育をテーマとする慈善団体「チャン・ザッカーバーグ・イニシアティブ」に寄付すると発表した。こんな行動がザックのミッション感覚の表れだとすれば、その熱意に共鳴する支援者は多いはずだ。

---

23 章末の［文献5］冒頭および［文献7］より。

「老人キラー」という言葉を聞いたことがあるだろう。年配者から好感を持たれ、支援を取りつける若者のことである。日本でも名だたる起業家、例えば孫正義や南部靖之（パソナ創業者）のような人たちのなかには「老人キラー」といわれる人が多い。

年配の成功者は、ヒト、モノ、カネ、情報、人脈、いわゆる経営の資源を豊富に持っている。しかしそれらは墓に持ち込めない。彼らは、こうした保有資源を世の中に活かしたいと願う。

こんな時、彼らが一番嫌うのはお金に飢えた若者や商売っ気丸見えの若者である。ビジネスの話なら、いくらでも自分の周りに転がっているのだ。

しかし「世の中を変えたい」とか「人々を幸せにしたい」と、夢や理想を熱っぽく語る若者には手を差し伸べたい。自分がやり残したものがあるとすれば、まさにそれだからだ。

ザックには、こうした資質があると思う。

起業で大事なのは理念である。理念がメンターを動かす。リアリティを感じる未来を映像化して見せてくれたら、誰が協力を惜しむだろう。だから投資家は起業を志す若者たちに問いかける。君は何をやりたいのか、世の中をどうしたいの、君のミッションは何なのか、と。世の中を明るくしたいと心底思う元気な若者を、世の中は見捨てないし、必要な資源はそんな彼らの下に自然と集まるのだ。ちなみにシリコンバレーは一面、経営資源を豊富に持つ〝成功した年配富豪〟のサロンでもある。

広告ノウハウを持ち込んだサンドバーグ

ＦＢ社の資金は、設立後しばらくは主にＶＣの投資資金に頼っていた。サイト上の広告販売にもトライしたが、収益は微々たるものだった。ザックはユーザーの満足度ばかりを意識していて、稼ぐことに興味がなかった。顧客体験を少しでも損なう可能性があれば、どれほど有利な広告だろうと掲載を許さず、儲ける方策についてはほとんど考えていなかった。グーグルの創業者とよく似ている。

とはいえお金を稼がないと事業は続けられず、２００７年初めにはＦＢ社初の広告プログラム「Facebook Ads」を発表した。広告主は、ユーザーの属性情報にアクセスし、自社にとって最適なユーザー・プロフィールに絞って広告を配信することができた。例えば「カリフォルニア州の高校出身で、フットボール好きの大学４年生男子」というように細かく指定して、広告を送ることができるのだ。これがやがてＦＢ社の高収益事業を支える「ターゲテイング広告」となる。

しかし、こうしたビジネスを強力に進めるためのリーダーが必要なことは明らかだった。そこでやっと彼の右腕となるＣＯＯ探しが始まり、ザックは２００７年12月にシェリル・サンドバーグと出会う。

彼女はハーバード・ビジネス・スクールＭＢＡ課程を優等生で修了した、やはり天才の一人である。約１年間マッキンゼー・アンド・カンパニーで経験を積んだ後、ハーバード時代の恩師で、ビル・クリントン政権で財務長官を務めていたローレンス・サマーズの下で首席補佐官として働いていた。

その後、２００１年にグーグルのＣＥＯシュミットにヘッドハントされて同社に参加し、上級幹部として広告事業を収益の柱に育てる業績を上げた。

彼女はクリスマスパーティの席でザックと初めて会い、お互いの理解のために話し込んだ。レストランが閉店した後も、ザックはサンドバーグの家にまで押しかけ、フェイスブックのミッションや今後やりたいことを熱く語った。そして、彼女はついにザックの右腕になった。[24]

サンドバーグがＦＢ社のＣＯＯに就任すると、二人はお互いの役割分担を話し合った。

「至って簡単だったわ。マークがプロダクトを見る。私はそれ以外を見る[25]」

「マークと相性がいいのは、ほとんどの時間を一緒に過ごして、…話し合っているからじゃないでしょうか。マークを見ているとよくわかるんですが、私たちの生き方やコミュニケーションのあり方を根底から変えるようなものを、彼は本当に作りたいんですね[26]」

サンドバーグは、フェイスブックのもつユーザー・データが、グーグルより優位にあることを見抜いていた。

グーグルでは、ユーザーが何かを検索ボックスに打ち込むと、その単語に関連した広告が表示される仕組みで高収益を得ている。つまり当時のグーグルは、ユーザーが検索して初めて、その人の「欲しいもの」を理解した。

一方、フェイスブックではユーザーやその友達の言動を観察できるので、彼らが「欲しく

24　章末の［文献1］第12章より。
25　章末の［文献6］第9章より。
26　章末の［文献4］第5章より。

なりそうなもの」が比較的容易につかめる。全世界で1年間に使われる広告宣伝費は1兆ドル近いともいわれるが、既に欲しいものが決まっている人たち向けの広告費は最大でもそのうちの20％であることをサンドバーグは熟知していた。つまり、残りの80％はフェイスブックの手の届く領域にあり、しかもそれは当時のグーグルでは立ち入りがたい分野と考えられたのだ。

「われわれはどこよりも質の高い情報を持っている。…しかも本物のデータであって、誰かが推論したものではない」（サンドバーグ[27]）

ドラッカーは早くからデータの重要性について語っている。企業は買ってくれた顧客の分析はできるが、「ノンカスタマー（非顧客）の情報」を得るのは難しいと言っていた。

しかし、それが比較的容易につかめるマーケティング革新がＳＮＳから起こった。サンドバーグはグーグルに続いて、また一段高い革新を起こしたことになる。ビジネスの方向性が定まると、サンドバーグは古巣のグーグルからめぼしい人材を次から次へと引き抜き、自分のチームを作っていった。

フェイスブックの内外で得られる情報はシームレスにつなぐことができた。ユーザーのフェイスブック内でのクッキー（閲覧履歴のこと。ファーストパーティ・クッキー）だけでなく、サードパーティのサイトでの行動履歴（サードパーティ・クッキー）も収集できたので、ターゲティングの精度はどんどん上がっていった。

そして投稿内容や「いいね！」の反応などからＡＩを駆使して、ユーザーの属性は５万以上に分類され解析できるようになった。一方で、これが大問題の根となる。米国限定だが、「穏健な保守」や「強硬なリベラル」といった政治信条までも絞り込めるので、政治キャンペーンに利用可能だったのだ。また、交際相手の実家に初めて挨拶に行った女性に、結婚式場や指輪の広告が届き、「結婚はまだ職場でも秘密なのに、気持ち悪い」という声も上がった。プライバシーが筒抜けだったのだ。[28]

それでも、サンドバーグの力で（および就任後の経営陣の再編も含めて）ＦＢ社の広告事業は飛躍的に伸びた。彼女がＦＢ社に加わった２００８年、同社の売上は３億ドル弱だったが、

27　章末の［文献６］第９章より。筆者訳。
28　章末の［文献９］より。

２０２１年には約１１８０億ドルとなり、うち広告収入は約１１５０億ドルとなった。

噴出する問題

冒頭でも述べた通りＦＢ社は今たくさんの問題を抱えている。アメリカ大統領選に関する一連の報道でＦＢ社の信頼は大きく傷ついた。そして２０１８年にはそれに拍車をかける報道がまたもや世界を駆け巡った。

フェイスブック・ユーザー約８７００万人分の個人情報が不正な形で英調査会社ケンブリッジ・アナリティカに渡り、２０１６年の米大統領選でトランプ陣営に使われた可能性があると報道されたのだ。

ＦＢ社はその前にこの事実を知って、アナリティカにデータ削除を求めたのだが、確認を怠った。ここにもＦＢ社の脇の甘さが出た。案の定、アナリティカはデータを削除することなく大統領選に横流しした。

この事実が報じられると、ザックは公式に謝罪した。一連の報道をきっかけに同社への風当たりが一層強くなり、２０１９年７月には米連邦取引委員会（ＦＴＣ）がアナリティカ事件の調査を終えて、ＦＢ社に過去最高額となる50億ドル（当時のレートで約５４００億円）の制裁金を科すと発表した。[29]

投稿の監視に消極的だったザックも方針転換を余儀なくされる。もともとＦＢ社はコンテンツ監視の拠点を２００９年に世界で初めてダブリンに開設したが、その陣容を大幅に増やし、２０１９年には１万５０００人規模に拡大。[30] ２万人体制にまで増強すると発表した。こうしたコンテンツ・モデレーターと呼ばれるスタッフたちは、ユーザーの告発やＡＩの判断によって「要注意」とされた投稿をルール違反かどうかチェックしている。

しかし「適切か不適切か」の判断は難しい。一度コンテンツ・モデレーターが削除した投稿がユーザーの抗議で復活するケースも少なくない。例えば、２０１６年にはピュリッツァー賞を受賞した写真の削除が問題になった。ベトナム戦争でナパーム弾攻撃から逃げる裸の少女の写真をコンテンツ・モデレーターが「児童ポルノ」と判定したのだ。[31]

「不適切」投稿の取り締まりが進めば、今度は「検閲《けんえつ》」と非難する声も出てくる。あるメデ

29　章末の［文献10］より。
30　章末の［文献６］第17章より。
31　章末の［文献６］第17章より。

ィアはザックを「世界で最も力を持つ編集者」と皮肉った。[32] フェイスブックはもはやザックの想像をはるかに超える巨大な存在感をもつプラットフォームになったのだ。

ＦＢ社のデータ利用のあり方に対して、特にアップルのＣＥＯクックは痛烈に批判している。同社は、警察当局が犯罪捜査のため被疑者データの提供を求めてきてもキッパリ拒否し、「プライバシーは基本的人権」とする厳格な姿勢で知られていた。プライバシー保護とネット広告の両立に向けて段階的に対策も強化しており、２０２１年４月にはユーザーの同意を除いて消費者行動の追跡やターゲティング広告を困難にする仕組みを導入すると発表した。グーグルも追随する方針を表明している。

アプリをまたいで行動追跡ができないとなると、ＦＢ社は自社の広告ビジネスに１００億ドルもの悪影響が出ると発表した。そして、２０２２年２月に行動追跡に同意しないユーザーが95％以上に上ることが判明すると、同社の株価は30％も下落し、１日で２３００億ドルもの時価が失われるという世界記録を残した。

問題はこれだけではない。２０２１年５月にはＦＢ社が欧州統括拠点を置くアイルランドの高等裁判所である判決が出た。それは欧州から米国への個人データ移管を禁じる判決でＦ

Ｂ社の完敗だった。今後、欧州から米国に個人データを送れなくなれば、情報が共有できなくなる。したがって判決が確定すれば、同社のサービスは欧州から撤退せざるを得ないと表明している。

さらにＦＢ社の競争対応についても、当局から強く非難されている。

ＳＮＳ分野の競争は激しい。だからザックはいつも競争相手を注意深く見ていた。例えば、２００６年に生まれた「ツイッター（Twitter）」の買収をザックは試みている（のちに失敗）。続いて、２０１０年10月にスタートした「インスタグラム（Instagram）」にも強い関心を示した。「インスタグラム」は友人と写真が共有できるＳＮＳで、写真共有機能はフェイスブックで最も人気のある機能の一つだったので、これがインスタグラムに取って代わられることを恐れた。そこで、２０１２年当時、社員数13人に過ぎないインスタグラム社に対するＶＣの企業評価額は5億ドルだったにもかかわらず、ザックは2倍の10億ドルで買収を即決した。その後も、同社は２０１４年10月にヨーロッパや南米で圧倒的なシェアをもつメッセンジャーアプリ『ワッツアップ（WhatsApp）』を、２１８億ドル[33]で買収した。

32　章末の［文献11］より。

このように今日に至るまでＦＢ社は自分たちの成長を脅かす可能性のある会社を、その資金力で自社に取り込んできた。しかし、これが仇となったのである。２０２０年12月、米連邦取引委員会と45の州の司法長官はライバル企業の買収によって競争を阻害したとして、反トラスト法（独占禁止法）違反の疑いでＦＢ社をワシントンの連邦地裁に提訴したのだ（２０２１年時点でＦＢ社勝訴）。

問題は他にもまだある。それはザックの企業統治への疑問だ。一連の問題の対応で、ザック以外の経営陣の存在感は薄い。ザックは今も「会長兼ＣＥＯ」である。この根底にはＦＢ社の資本構造のいびつさがある。種類株のおかげで、発行済み株式のわずか14％しか持たないザックが、議決権ベースでは56％を握っているのだ。

ザックはこれらの問題を克服する策を創造しなければならない。

メタバースへ脱皮できるか？

ＦＢ社に関しては、そのサービス自体に陰りが見られるのも無視できない。フェイスブックは新興国では人気があり、アクティブユーザー数は増えているが、欧米では成熟傾向にある。２０２１年10～12月期の１日あたりのアクティブユーザー数は、創業後初めて減少に転じた。日本でもその数字は伸びていない。

理由はいろいろ考えられるだろう。一つは「ＳＮＳ疲れ」がある。また利用者のライフステージが変化する一方で、ＳＮＳの友人は以前の友達とつながったままだ。「高齢者のＳＮＳ」になり「フェイスブックはおじさんたちのもの」という若者も多い。

とはいえ、ザックは逆風の中でも前進を止めてはいない。

例えば、メタ（正式社名はメタ・プラットフォームズ）に社名変更したのはその表れだ。２０２１年の決算説明会でザックはこう訴えた。

「何年かのうちにソーシャルメディアの企業ではなく、メタバースの企業と見られるようになりたい[34]」

33　章末の［文献12］より。
34　章末の「文献13」より。

そして、メタバース事業に年間１００億ドル（約１兆１０００億円）を投じると表明した。

メタバースはコミュニケーションの未来形の一つであり、アバターを通じて仮想空間でのコミュニケーションを可能にする。そのためにＶＲ（Virtual Reality）やＡＲ（Augmented Reality）開発が成功の鍵を握る。これらはともに視覚の利用技術だが、ＡＲが現実世界に視覚情報を重複表示させる「拡張現実」であるのに対し、ＶＲはヘッドマウントディスプレイなどにリアリティを高めた視覚映像を投影する「仮想現実」の技術だ。これらを使えば、将来的には物理的距離が何千キロ離れていようと、同じ部屋にいる感覚で人的交流が可能だ。

２０１４年、ＦＢ社はこのためにＶＲヘッドセットを開発する「Oculus VR」を20億ドルで買収し、ＶＲ業界への進出を本格的に開始した。[35]さらに２０１７年時点でＡＲ／ＶＲに関与する社員は全体の５％程度だったのを、２０２１年初頭には約17％（１万人弱）にまで増やしている。[36]この分野の研究はメタ社の「Reality Labs」で進められている。

しかし、メタバースは今過熱気味で想像が膨らむあまり「１００兆円市場になる！」と期待先行のバブル感すらある。例えば、仮想空間で土地建物が売買され、アバターのファッションや車、家具なども売買されるというが、デジタル資産の所有権や保護規定などの法律整備はほとんど手がつけられていない。そうした基盤整備には10年以上の時間が必要と見られ、その他にも未解決の問題が多々あり、市場として成立するのは先々になるだろう。

今のところリアリティのある利用分野は、ゲームやライブ開催などエンタテインメントである。例えば、任天堂の『あつまれ どうぶつの森』や、同社のキャラクター・ポケットモンスターを使ったナイアンティックの大ヒットゲームアプリ『ポケモン GO』は広い意味でメタバースに含められる。また、エピックゲームズの人気オンライン・ゲーム『フォートナイト』では、人気歌手のライブ配信も行っている。

図表3－2ではFB社の財務諸表を任天堂と比較した（決算期は異なる）。

任天堂の売上高はゲーム専用機「Nintendo Switch」の売上が約95%を占め、この年に34%と急増した。売上高純利益率は27・3%と極めて高い。

任天堂は日本ではお金持ち企業であり、手元の金融資産も1兆7400億円を超える。しかし、メタ社の金融資産はその約3倍強、利益も約9倍に達する。任天堂もゲーム専用機という前世代のプラットフォーマーだが、現代のプラットフォーマーとの彼我の差は大きい。

35　章末の［文献14］より。
36　章末の［文献15］より。

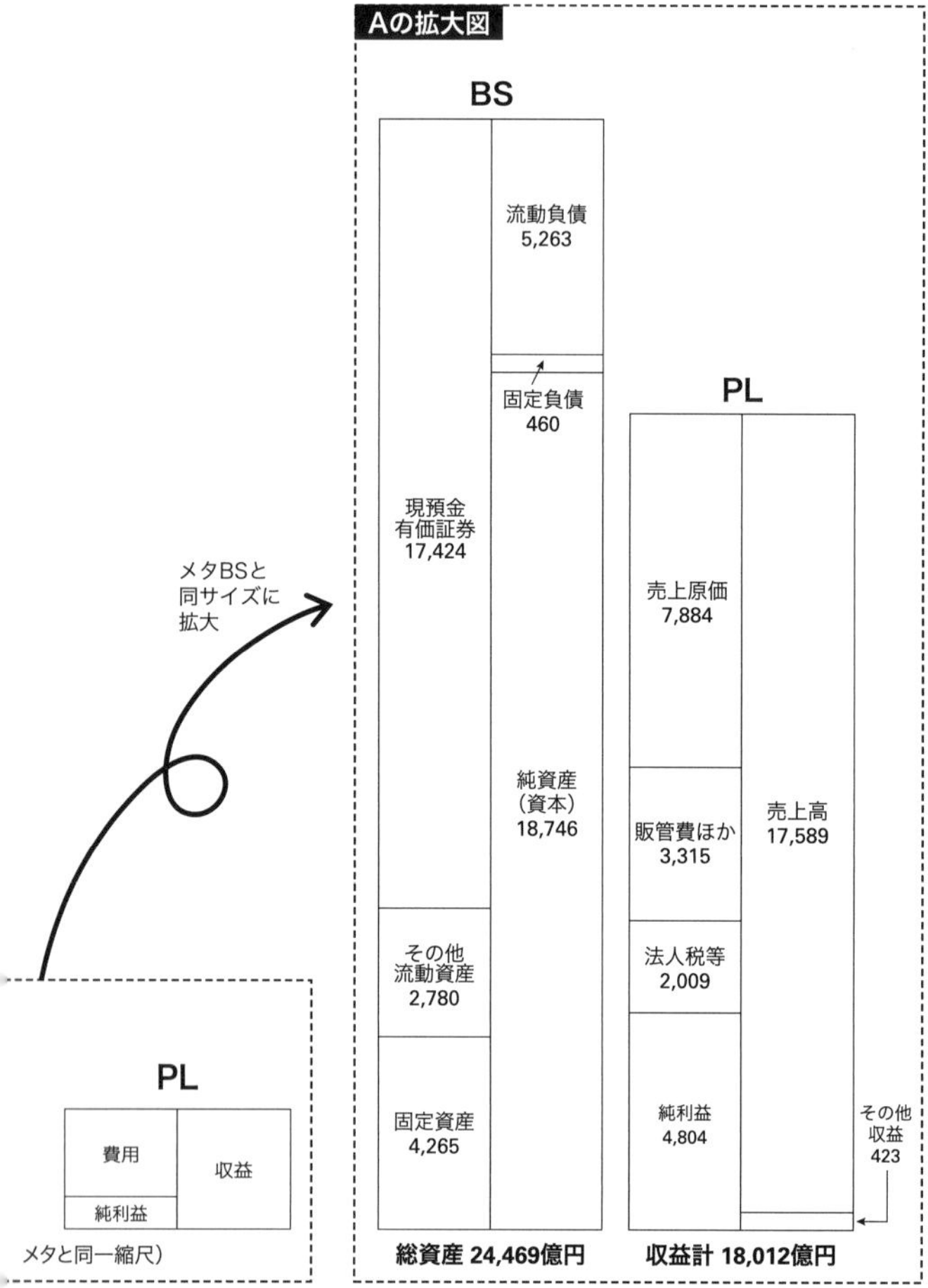

任天堂
（2021年３月期、単位：億円）

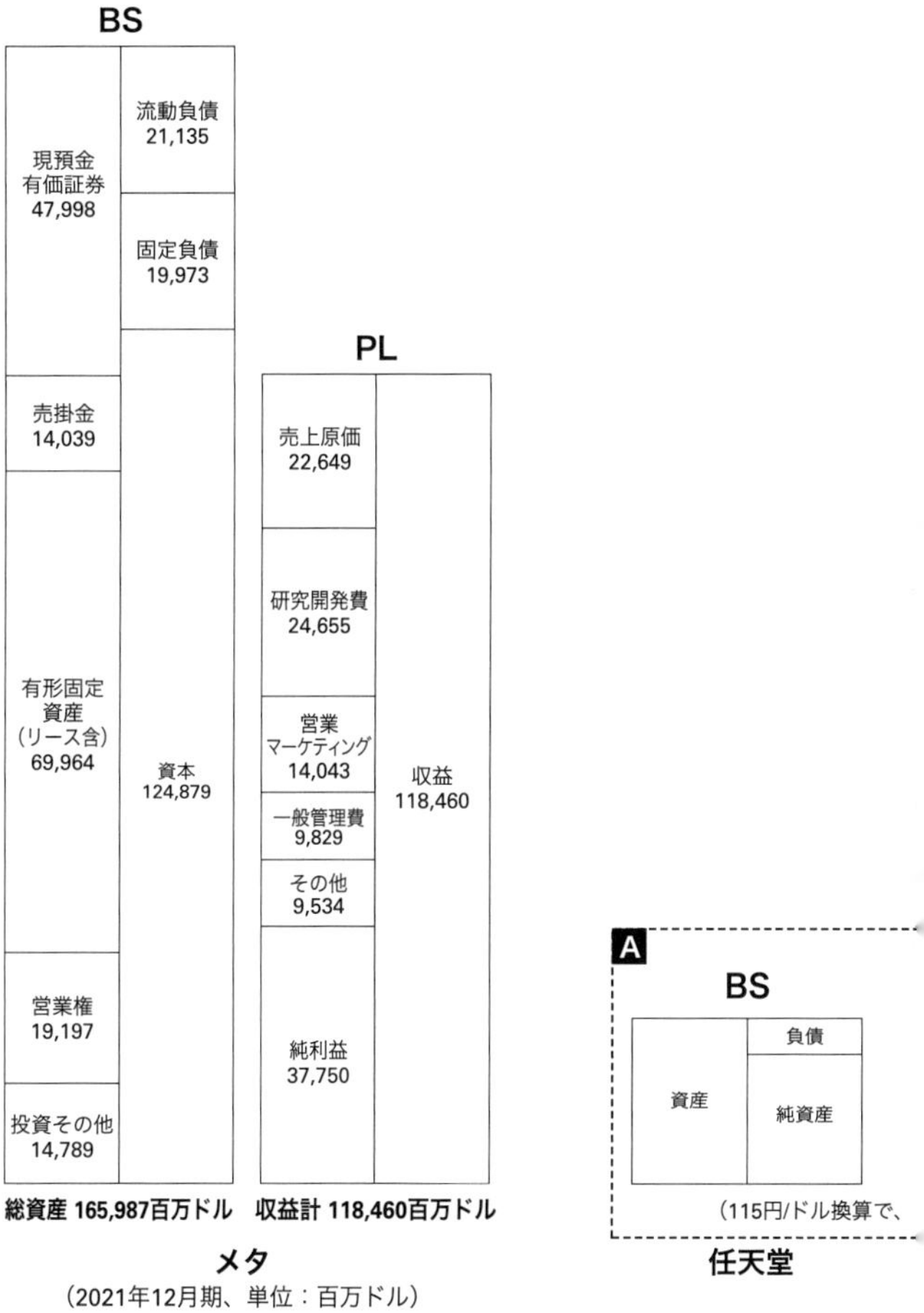

図表3-2　メタと任天堂の財務諸表比較

メタ社の特徴は有形固定資産が巨額で任天堂とは対照的だ。サーバー等の設備に積極的に投資して、これをコア・コンピタンスとしている点はグーグルと同じである。

ただ、メタ社は広告事業が97％でほぼ一本足の企業である。したがってＳＮＳ以外の太い柱が欲しい。正式社名「メタ・プラットフォームズ」に表れているように、より広いプラットフォーマーに脱皮したいという意欲が滲み出ている。

新規事業へのトライとしては、コミュニケーション以外の分野で、２０１９年６月に仮想通貨「リブラ（Libra）」の構想を発表した。ただしこれもザックの能天気さの証のようだ。これまで各国の中央銀行が一手に担ってきた通貨発行を銀行ですらない一介の民間事業者が担うことに対して各国は強く反発し、リブラは頓挫《とんざ》した。名称を「ディエム（Diem）」に変更して再設計する予定だったが、これも撤退を発表した。ただし、金融への進出はプラットフォーマーの王道であり、諦めてはいないだろうが……。

若者へのリスペクトと日本の未来

メタ社は様々な困難に直面し、かつての「素早く動き、間違ったら修正する」という行き方ではもはや立ち行かないことをザックも思い知った。彼は今までのいろいろな過ちについて自ら認めており、その発言も事前準備を重視するような内容に変化している。[37] 若い頃とは違い、ネクタイ姿で身を正してこう語る。

「この数年間で得た大きな教訓は、人々がテクノロジーをどう活用するかについて、私達があまりにも理想主義的、かつ楽観的に捉えていたということです。私達は、人々がテクノロジーを悪用する可能性について考えが至りませんでした。

他の人だったら、もっとうまくやれていたのかもしれません。

しかし、19歳でフェイスブックを始め、社会人経験もなかった自分にとって、会社を経営する中で起こってきた色々な問題を全て咀嚼することは不可能でした。

私にとってのこの15年間は、そういう問題1つ1つに対して、もっと責任を取れるように努力してきた歴史だと言えます。

多くの人はもっと保身的に行動するでしょう。『こうなればいいなとは思うけど、失敗

37　章末の［文献16］および［文献17］より。

するのが怖いから、じっとしておこう』と思うのでしょう。
でも自分は今持っているものを失うことより、最善を尽くさないことの方が怖いのです。やらないよりも、やってみることに賭けてみたい。だから失敗も多くなります。過去を振り返れば、戦略でも執行面でも、私達は多くの間違いを犯しました。でも、もし失敗していないのなら、それは恐らく自分のポテンシャルを目一杯活かそうとしていないということです。
違いますか？　人はそうやって成長していくのではないですか[38]」

何と若者らしい本音の言葉だろう。共感できる人も多いのではないか。

理想主義の無邪気な若者が、既成の枠を破って新しい革新を起こしていく。先々に起こりうる問題や弊害から考えたら、何も行動を起こせない。失敗を恐れず、ポテンシャルを目一杯活かそうとする若者こそ、イノベーションのドライバーである。

「若者、よそ者、バカ者」が世の中を変えると述べてきたが、若者をリスペクトする空気が日本には薄い。

２０２１年の自民党総裁選挙で、国民から高い人気を得た挑戦者・河野太郎氏が落選して、閑職（?）に追いやられたが、派閥の長老が「雑巾がけからやり直し！」と言ったとか……。河野氏は１９６３年生まれで年齢的にもう若くはないが、政界では若手だ。事の是非を云々するつもりは全くないが、若いチャレンジャーにチャンスを与えない社会を象徴していると感じる。民意とズレた長老支配は政界だけでなくビジネス界も同じだろう。

かつて本田宗一郎は「若いということはそれだけで素晴らしい」と常々語っていた。革新の本質を知っていた人だ。「若いんだから、目の前の年寄りを否定してみろ！」とも。そして彼を技術面で否定した人物が、のちにホンダの社長になった。

ソニー創業者盛田昭夫が元気な頃に、後継者となった大賀典雄をはじめ、いかに若い人材を登用したか、側近だった人から聞いたことがある。盛田は同じ高さの目線で若者と向き合い、対等に議論し、彼らの意見を尊重していた。いつも「君の意見が聞きたいんだ！」と。

若者をリスペクトせず、未熟さを理由に若者を「雑巾がけ」へ追いやる文化は、経験深い長老の責任である。特にこの空気を変えるのは、ビッグビジネスの経営者の肩にかかっているはずだ。もちろん変えるのは可能だ。もともと第二次世界大戦後の日本企業の経営をリー

38　章末の［文献6］エピローグより。

ドしたのは30代の若手人材だったのだ。

ザックを見ていると、トライによる失敗は多いものの、若者による革新に期待が持てるとつくづく思う。

若者にチャンスを与え、サポートする。ここに日本の未来はかかっている。

主な参考文献

[文献1] Kirkpatrick, D. (2010)：*The Facebook Effect: The Inside Story of the Company That Is Connecting the World*, Simon & Schuster.（滑川海彦、高橋信夫訳『フェイスブック　若き天才の野望：5億人をつなぐソーシャルネットワークはこう生まれた』日経ＢＰ、２０１１年）

[文献2] Mezrich, B. (2010)：*The Accidental Billionaires*, Random House.（夏目大訳『facebook：世界最大のＳＮＳでビル・ゲイツに迫る男』青志社、２０１０年）

[文献3] 桑原晃弥『フェイスブックをつくったザッカーバーグの仕事術』幻冬舎、２０１２年

[文献4] Walter, E. (2012)：*Think Like Zuck: The Five business Secrets of Facebook's Improbably Brilliant CEO Mark Zuckerberg*, McGraw Hill.（斎藤栄一郎訳『THINK LIKE ZUCK：マーク・ザッカーバーグの思考法』講談社、２０１４年）

[文献5] Hoefflinger, M. (2017)：*Becoming Facebook: The 10 Challenges that Defined the Company that's Disrupting the World*, Amacom.（大熊希美訳『フェイスブック：不屈の未来戦略』ＴＡＣ出版、２０１７年）

[文献6] Levy, S. (2020)：*Facebook: The Inside Story*, Portfolio/Penguin.（引用文の翻訳は筆者）

[文献7] *Mark Zuckerberg interview: 'Are you still having fun?'* The Washington post (https://www.

washingtonpost.com/blogs/innovations/post/mark-zuckerberg-interview-are-you-still-having-fun/2012/09/12/f87c0c40-fce0-11e1-8adc-499661afe377_blog.html）

［文献８］日経産業新聞、２０１９年４月５日

［文献９］日本経済新聞、２０１８年７月17日

［文献10］日本経済新聞、２０１９年７月25日

［文献11］*Zuckerberg criticized over censorship after Facebook deletes ‘napalm girl’ photo*, THE VERGE（https://www.theverge.com/2016/9/9/12859686/facebook-censorship-napalm-girl-aftenposten）

［文献12］「Facebook が WhatsApp 買収手続きを完了、総額２１８億ドル超に」日経ＸＴＥＣＨ（https://xtech.nikkei.com/it/atcl/news/14/100701238/）

［文献13］日本経済新聞２０２１年８月26日

［文献14］「Facebook、Oculus VR 買収を完了」cnet Japan（https://japan.cnet.com/article/35051144/）

［文献15］*The People With Power at Facebook as Its Hardware, Commerce Ambitions Expand*, The information（https://www.theinformation.com/articles/the-people-with-power-at-facebook-as-its-hardware-commerce-ambitions-expand）

［文献16］日本経済新聞、２０１９年９月26日

［文献17］日本経済新聞、２０２１年６月17日

第４章

アマゾン

エブリシング・ストア、
そして宇宙インフラまで

Amazon

アマゾンのビジネスとは？

パンデミックの影響で小売業界全般が苦戦を強いられるなか、Ｅコマース（ネット通販）はむしろ拡大し、２０２１年に世界の市場規模（推計）は５６２兆円（前年比14％増、１１５円／ドル換算）になっている。[1] そんななか、創業以来一貫して成長を続けているのがアマゾンだ。

アマゾンはＧＡＦＡのなかで売上高が最も大きく、２０２１年度は前期比22％増の４６９８億ドル（約54兆円）。日本市場での同年売上高は２３１億ドル（約2兆６５００億円、前年比13％増）で、業態が異なるため単純比較はできないが、楽天の約１・７兆円（うちＥコマースなどインターネット・サービス事業は約１兆円）と比較しても、大きく差をつけている。図表４－１はアマゾンのセグメント別の収益構成をまとめたものである。

アマゾンの売上には、アマゾン自身による直販の売上（47％）の他に「アマゾン・マーケットプレイス」出品者の販売代行の手数料収入（22％）も含まれている。

Ｅコマース関連売上の他には、クラウド・コンピューティング・サービス「アマゾン・ウ

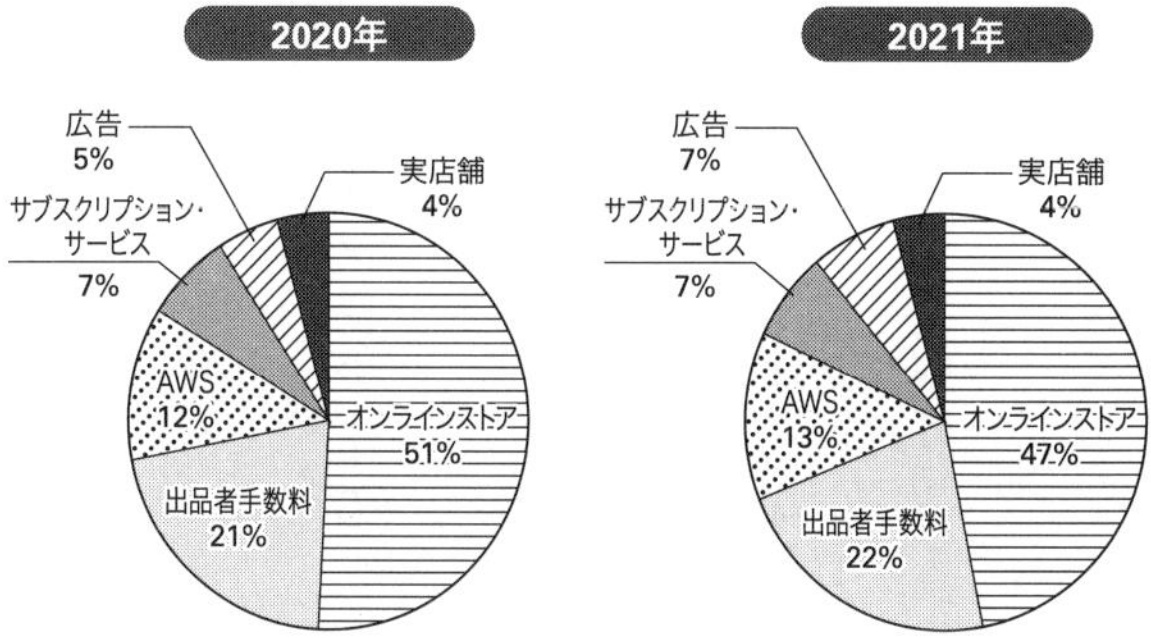

図表4-1　アマゾンのセグメント別売上構成

エブ・サービス（ＡＷＳ）」の収入（13％）、「アマゾン・プライム」などのサブスクリプション・サービス収入（７％）、Amazonサイト内の広告収入（７％）、そして無人決済店舗「アマゾン・ゴー」などの実店舗売上（４％）がある。

ただ、売上は最大でも図表３－１（１６７ページ参照）で示したように、アマゾンの営業利益率５％は逆にＧＡＦＡのなかで最も小さい。この理由の一つはＥコマースの利益が少ないこと。そして、もう一つが同社の旺盛な研究開発にある。研究開発費（５６１億ドル、約６・５兆円）がダントツで世界一なのだ。

アマゾンのロゴマークは、スマイルの矢印が「ＡからＺ」に伸びている。つまり「すべて」を表す。そして、創業時から「エブリシング・ストア」を標榜し、世界中であらゆる商品・サービスを販売することを理念に掲げてきた。そんな大帝国をゼロから築き上げた創業者ジェフ・ベゾスは何を考え、アマゾンを成長させたのか、詳しく見ていこう（以降の歴史の記述は、章末に記載した参考文献をもとにしている）。

オタク少年の宇宙への夢[2]

アマゾンに関しては、まずブルーオリジンの話から始めよう。

ブルーオリジンはアマゾン創業者ベゾスが個人のポケットマネーで所有する宇宙開発ベンチャーである。

２０２１年12月、米航空宇宙局（ＮＡＳＡ）は民間が運営する商業宇宙ステーションの開発企業に、ブルーオリジンなど3社を選定したと発表した。現在の国際宇宙ステーション（ＩＳＳ）は２０２５年以降に役目を終え、次世代に一新される計画である。

ブルーオリジンが開発する新たなステーション「オービタル・リーフ」建設には、宇宙船を開発している米シエラスペース、米ボーイングなども参画し、20年代後半の運用開始を目標とする。最大で10人が滞在できる新ステーションは、数々の企業や研究機関の実験拠点として使われるのに加え、娯楽目的の宇宙旅行やスポーツ、ゲームなど様々な産業分野の活動拠点と位置付けられている。[3]

２０２１年７月５日、ベゾスはアマゾンＣＥＯを退き、会長となった。そして次期ＣＥＯには、クラウド事業ＡＷＳトップのアンディ・ジャシーを指名した。ベゾスは、この発表にあたって従業員向けに次のメッセージを送っている。

「会長になって、引き続きアマゾンの重要な新規事業に関与しながら、Day 1 Fund（慈善基金）、ベゾス・アース・ファンド（地球環境対策の基金）、ブルーオリジン、ワシントン・ポスト、その他に情熱と時間、エネルギーを注ぐことになります。私は今まで以上にエネルギーに満ち溢れており、これは引退ではありません」[4]

1　２０２１年7月発表の経済産業省「電子商取引に関する市場調査報告書」より。ＥＣ／小売の比率は19・５％。

2　この節、および次節のエピソードは主に章末の［文献１］［文献２］［文献５］［文献８］による。発言は断り書きがない限り、すべてベゾスのものである。

3　章末の［文献13］より。

4　アマゾンＨＰ（https://www.aboutamazon.com/news/company-news/email-from-jeff-bezos-to-employees）より。筆者訳。

そして、２０２１年7月20日、ベゾスはブルーオリジンのロケット「ニューシェパード」に弟のマークら３人と共に搭乗し、同社初の有人宇宙飛行を楽しんだ。ベゾスはＳＮＳに「宇宙旅行は5歳からの夢だった」と告白し、宇宙空間の始まりとされる高度１００キロ以上の高さに打ち上げられて10分間飛行した後、地上に軟着陸した。

ブルーオリジンは、何度でも再利用可能なロケット製造を目指しているが、ベゾスはこれを「商用の飛行機のようなもの」と言う。

「私がブルーオリジンを通じて成し遂げたいと思っているのは、宇宙にインフラを築くことなんです。インフラがあれば、爆発的な起業の増加を促せるでしょう。この20数年間、私がインターネットの世界で目にしてきたのと同じように、です[5]」

これが彼の思いである。ベゾスはこの長期的なビジョンのために、自らが保有するアマゾン株を毎年10億ドル分ずつ売却し、この個人会社の資金を補填している。何と壮大な構想だろう。宇宙に手軽に行き来できる基本インフラを創れば、誰でも宇宙関連ベンチャーを興すことができる、というのだ。インターネットと同じように、宇宙ベンチャーのカンブリア爆発が起こるかもしれない。[6]

日本にも宇宙ベンチャーはあるが、こんな大きな構想の実現に情熱を燃やす人がいるだろうか。実はアマゾンの成功は、このベゾスの構想力の壮大さにあると思う。アマゾンはただの小売業ではない。アマゾンが創っているのは、ブルーオリジンと同じように大がかりなインフラの創造なのだ。

ベゾスは毎年、株主への手紙を公開してきたが、ＩＰＯ後に発表した最初の「１９９７年株主への手紙」のなかにこんな記述がある。

> この1年間の成功は、社員たちのハードワークのおかげです。私はこのチームの一員であることに大きな誇りを持っています。ここで働くのは決して容易ではありません。しかし我々は顧客にとって重要な何か、あるいは我々の孫たちに語り継ぐことのできる重要な

５　章末の［文献５］第15章より。

６　米モルガン・スタンレーの予測によれば、世界の宇宙産業は37兆円（２０１９年）だが、２０４０年には１０５兆円以上になるという。上記は日本経済新聞「ＩＨＩ、衛星エンジン価格３分の１」（２０２０年８月23日）より。

何か、を新たに構築するために働いています。[7]

アマゾンの仕事は、孫たち（宇宙開発は超長期なので玄孫《やしゃご》たち）に語り継ぐことのできる重要なものの構築だと、ベゾスは語る。それはのちの世代にとって恵みとなるインフラであり、長期の仕事だと。

ベゾスは毎年の「株主への手紙」の後に、必ず右に掲げた１９９７年度の手紙を添える。手紙の最後には必ず、「アマゾンの取り組みは今も変わらずＤａｙ１のステージにいる」という言葉が付けられている。

Ｄａｙ１とは創業日のこと、つまり初心を意味する。ベゾスはいつも初心で、孫や玄孫たちの時代を見つめているのだ。

アマゾンは我々の生活に欠かせない流通インフラを作った。アマゾン・ウェブ・サービス（ＡＷＳ）は企業ないし起業に欠かせないインフラとなりつつある。そして人類の未来に欠かせない宇宙インフラまでも構想している（？）。それがベゾスというリーダーだ。

未来は予想するより発明する

ベゾスの構想力はどこから生まれたものなのだろう。

忍耐と意思の強さは父母から、そして世界の広さを教えてくれたのは祖父の影響と本人は言う。

ジェフ・ベゾス（ジェフリー・プレストン・ベゾス）は、１９６４年1月12日にニューメキシコ州アルバカーキで生まれた。[8] その時、母は17歳。当時アメリカでも高校生の出産は白眼視された。母はジェフが４歳の時に離婚したが、それでも大学に進学し、そこで知り合ったミゲル（マイク）・ベゾスと再婚する。ミゲルは16歳の時にカストロ政権が成立したキューバから逃れてきた難民だった。ジェフは後年、父母の苦闘の足跡が自分の人生のお手本になったと、語っている。[9]

7　米SEC向けのアマゾン有価証券報告書を筆者が意訳した。
8　生い立ちのエピソードは主に章末の［文献1］［文献2］［文献5］［文献8］による。
9　ベゾスの発言は［文献10］Part2より。

子供の頃は、技術と本の好きなオタク少年だった。こんなジェフに大きな影響を与えたのが、ミドルネームをとった母方の祖父ローレンス・プレストン・ギーゼである。ギーゼは国防高等研究計画局（ＤＡＲＰＡ）で、原子力開発や宇宙工学研究に携わった経験の持ち主だった。早期退職してテキサスの広大な牧場で暮らしたが、ベゾスは子供の頃、夏休みを必ずその牧場で過ごしていた。

「祖父は小さな孫にいつもすごく敬意を払ってくれた。テクノロジーや宇宙やそのほか何でも、私が知りたがると、面白い話をいくらでも聞かせてくれた[10]」

１９６９年、ベゾスはアームストロングらによる月面着陸のテレビ映像をこの祖父と一緒に見た。それは５歳のベゾスにとって大きな衝撃だった。のちの１９８２年に高校の卒業式で学生総代としてスピーチした際には、人類の未来に関して今後も成長を続けていくためには、宇宙へと飛び立つしか方法がないと話したという。そう。ブリーオリジンの夢はこの頃に培われたのだ。

もう一つ、ベゾスの夢を紡いだのがコンピュータ・サイエンスであった。もともと宇宙少年だったベゾスは物理学者を目指してプリンストン大学に進学するのだが、途中で専攻をコンピュータ・サイエンスと電気工学に切り替えた。ベゾスは次のような思いをコンピュータに抱いていた。

「コンピュータ・サイエンスを陰で支える数学的処理やアルゴリズムについても学びました。コンピュータは昔から得意でした。…20世紀に人類が生み出した素晴らしいツールなのです[11]」

１９８６年にトップレベルで学位を取得し大学を卒業すると、将来の起業のために経験を積もうと、ベゾスはウォールストリートの金融系企業を渡り歩いた。金融事業のネットワークシステム構築やプログラミング統括の仕事をした後、高度な数学モデルを駆使するヘッジファンドＤ・Ｅ・ショーの副社長に26歳で迎えられる。

10　章末の［文献10］より。
11　章末の［文献１］第２章より。

その頃はインターネット勃興期であり、ベゾスもネットを研究した。そこでウェブ上でやり取りされるデータ量が、年率２３００％で成長するという統計を見つける。彼はそこに大きなビジネスチャンスを感じた。

高給取りの生活を続けるか。起業するか。ベゾスは悩み、そして「後悔最小化理論」なるものをひねり出した。それは次のようなものである。

「80歳になった時、（会社を辞めて）ボーナスをもらい損ねたなぁと思い出すことはあり得ません。…逆に、このインターネットというもの、世界を変える原動力になると思ったものに身を投じなかった場合、あの時やっておけばよかったと心から後悔する可能性があると思いました。こう考えると、決断は簡単でした[12]」

起業の決意を固めたベゾスは、まずどこで始めるか考えた。この頃、多くの起業家はシリコンバレーを目指した。しかし、ベゾスは、シリコンバレーから１３００キロほど北のワシントン州シアトルと決めた。

シアトルにはマイクロソフトやボーイングの本社があって、先端エンジニアを採用しやすい環境にあり、しかも生活費が安い。また書籍取次会社の巨大物流センターがあった。加えて将来の物流網を考えると、都市部近くに大型空港があることも欠かせなかった。構想だけでなく、実現する道のりも周到に考えていたのだ。さらに人口の少ない州であることも利点だった。当時、他の州に住む顧客向けの売上には、売上税が免除された。

　こうして１９９４年７月にベゾスの自宅ガレージで事業をスタートさせる。会社名はいろいろ悩んだ末に「アマゾン・ドット・コム」と決めた。世界最大の流域面積というだけでは測れないアマゾン（川）のその大きさに何かシンパシーを感じたようだ。

　ベゾスはまず人脈をたどって二人のエンジニアを確保した。経理は妻マッケンジー（当時）の担当だった。さらに１９９４年８月にベゾスはネット掲示板に、次のような求人広告を載せた。

「インターネットによる電子商取引を開拓するため、Ｃ／Ｃ＋＋／Ｕｎｉｘに熟練した才能ある開発者を求む。当方は資金を潤沢に持つスタートアップ。複雑で大規模なシステム

12　章末の［文献2］第1章より。

の設計・構築に経験があること。またそのような作業をトップクラスが想定する３分の１の時間で行える能力を持つことが望ましい。最終学歴は情報科学専攻の大学以上（学士、修士、博士）であるか、それに相当するものであること。コミュニケーション能力も一流でなければならない。

…仲間として、才能と意欲を持ち、好奇心をもって熱心に働くことが期待される。報酬として、かなりの額の自社株を提供する予定。

——『未来を予測する最善の方法は、それを発明すること』（アラン・ケイ[13]）

何と大風呂敷な広告だろう。

創業したばかりのベンチャーが、ケイの言葉を借りて「未来を発明する！」と宣言し、トップ・エンジニアの３倍の仕事がこなせる高度人材を募集する。しかも、報酬はかなりの額（?）の自社株。まだ事業も始まっていないのに……。

日本でこんな広告を出せば「詐欺！」と相手にもされないだろう。これが通用したのはベゾスの説得力が破格だったからに違いない。

こうして１９９５年７月、インターネット・サイト「Amazon.com」がオープンした。

「エブリシング・ストア」を掲げるようにいずれすべての商品・サービスを扱うつもりだが、最初は書籍販売から開始。本にはＩＳＢＮ番号がつけられていて、既存のデータベースを使うことができ、サイトでは１５０万冊ほどの検索が可能だった。ベゾスはアマゾンを「地球最大の書店」と謳《うた》った。

ただ最初は注文が入ると、取次大手から通常取引の定価の50％で仕入れ、２〜３日で入荷するとそれを顧客に発送するため、注文を受けてから先方に届くまでに１週間から１カ月くらいの時間がかかった。当時、工夫と呼べるほどのものはなかったのだ。

風呂敷は大きかったが、当時の従業員はこう話している。

「現実離れしていると思いました。あの頃サイトに掲載していたのは１５０万冊で、そのうち注文できるのは１２０万冊。…倉庫の在庫は40冊しかなかったんですから」[14]

13　章末の［文献２］第２章より。ただしケイの言葉「The best way to predict the future is to invent it.」（原文）の訳は筆者による。

14　章末の［文献２］第２章より。

しかしオープンしてすぐに人気に火がつくと、注文は激増していった。スタート当初は在庫をあまり持てなかったが、毎日新刊やベストセラーを紹介して定価の40％引きで売った。その他の本も1～3割の値引きをした。また開始して間もなく、読者がコメントを書けるようにした（カスタマー・レビュー機能）。さらに、購買履歴から本を推奨するレコメンデーション機能を加え、ギフト包装などどんどん工夫を加えていった。

カスタマー・レビューについては、出版社の役員から「本にケチをつけるのは許せん」と怒りの手紙が届いた。しかしこのことがベゾスの確信をさらに強固にした。

「その手紙を読んだ瞬間、『我々はモノを売って儲けているんじゃない。買い物についてお客が判断するとき、その判断を助けることで儲けているんだ』と思いました[15]」

「我々は正真正銘、顧客第一ですし、正真正銘、長期的です。また創意工夫を重視しています。ほとんどの会社は顧客ではなくライバルのことを気にし、2～3年で得られるリターンを目指し、2～3年でうまくいかなければ他のことを始めます。新しいことを発明するより、誰かの発明をマネする方を好みます。我々は違うのです[16]」

アマゾンは当初ありふれたネット通販だったが、ベゾスが構想したプロセスへどんどん突き抜けていく。そして、彼の言う「顧客第一、長期志向、発明」は、やがて他社との差異を明快に見せつけることになる。

「顧客、長期、発明」の先行投資

１９９６年にアマゾンがＹａｈｏｏ！で紹介されると、毎月30〜40％ずつ売上が伸びていった。注文の急増が続き、社内は大混乱に。オフィスや倉庫がすぐ手狭になり、より大きなビルに移転し、物流センターへどんどん投資しなければならなかった。東海岸にも配送センターを新設した。さらに人の増員やサーバー増設を繰り返した。資金は羽が生えたように足りなくなった。

15　章末の［文献２］第２章より。
16　章末の［文献８］「１９９７年版株主へのレター」より。

ベゾスは、顧客満足の要となる配送品質の向上に注力した。配送時間を短縮するためには、書籍以外の商品も含めて在庫を豊富に持つべきだと主張し、在庫担当の幹部といつもやり合いになった。象徴的なのは１９９８年の冬のホリデーシーズンを前にしたときのことである。この時期に大半を売り上げる玩具の仕入れをめぐって、役員会で激論になったのだ。ベゾスは「子供たちをガッカリさせてはならない。あらゆるおもちゃを揃えるべきだ」と主張した。しかし、そのためには１億２０００万ドル分の在庫投資が必要だった。ベゾスは幹部の反対を押し切って進めたものの、結果として５０００万ドル分の在庫が売れ残った。その多くは恵まれない子供たちに贈ったが、それでもベゾスは、品揃えの在庫を増やす方針を変えなかった。

　必要と考えられる買収も果敢に進めた。１９９８年からは海外進出も始めた。イギリスやドイツの大手オンライン書店を買収し、地歩を築いた。赤字が膨らみ、資金はますます不足する。

「利益を出すのは簡単です。同時に愚かなことでもあります。我々は今、利益になったはずのものを未来に再投資しているのです。アマゾン・ドット・コムで今利益を出すのは、

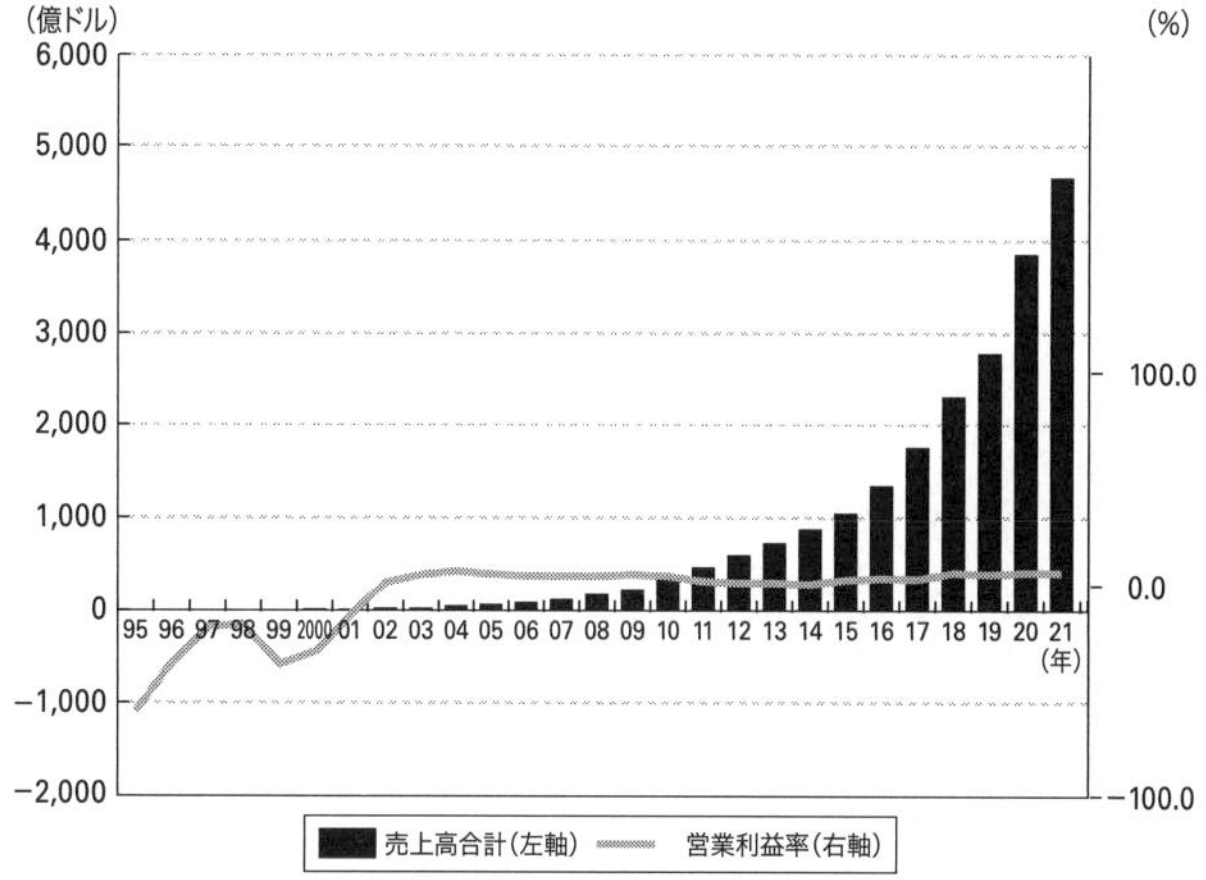

図表4-2　アマゾンの売上と営業利益率の推移

文字通り最悪の経営判断だと言えます」[17]

ベゾスは利益を上げることより「早く大きくなる」、つまり成長を優先した。アマゾンが先鞭をつけたこのスタイルは、のちにすべてのネット企業の目指す姿となり、1990年代以降のドット・コム時代を象徴するモデルとなった。ただし、成功例は少なかったのだが……。

ここでベゾスの確信の度合いを、実績数字で見てみよう（図表4－2参照）。

ＧＦＡＡの中でアマゾンの特徴の一つは、売上が急カーブの右肩上がりなのに対して、営業利益率は低空飛行していることである。

これは利益が出ないのではなく、「出さな

い」という確信犯の結果である。

一つは利益が出そうになると商品価格を下げるため。そしてもう一つが、先行投資のためだ。その証拠は、直近の比例縮尺財務諸表を見てもよくわかる（図表4－3）。

2021年度の損益計算書（PL）を見ると、売上は日本円（115円／ドル）にして約54兆円（22％増）だが、純利益率は7・1％（前年は5・5％）にすぎない。GAFAの中でアマゾンだけ低い。ちなみにAWS（後述）などが含まれるサービス売上の伸びは37％と大きい。

しかし、コストを見ると、Fulfillment（アマゾンの呼称で物流費のこと）が28％増となっていて、売上増加率を上回っている。これは物流センターなどの減価償却費が含まれていて、有形固定資産と連動してコストが増えるものだが、その有形資産約25兆円は44％増で、物流費をさらに上回って設備投資していることがうかがえる。

さらにすごいのが研究開発費（実物の財務諸表上では「Technology & Content」）である。実に561億ドル（約6・5兆円、前年比31％増）ものお金をかけている。この研究開発に6・5兆円という金額は、冒頭でも述べたがダントツで世界一である。研究開発費はいわば「明日のためのコスト」であり、また経営上統制できる費目である。もし利益を出したければ、研究開発費を抑えればいい。

いかにアマゾンが明日のために投資しているか、その迫力がよく伝わってくる。

この年は純利益が大幅に増えたこともあって、手持ちの資金（現預金＋換金容易な有価証券類）が約11兆円もある。一方で、これを超える13兆円強の有利子負債がある。

目一杯借金をしながら、どんどん投資している。アマゾンは創業以来、今も背伸びの資金調達をして、配送改善や発明のために先行投資し思い切り成長に賭けているのだ。

ちなみに日本のＩＴビジネスの雄Ｚホールディングス（ＺＨＤ、旧ヤフー㈱）を比較のために、右に表示した。ＺＨＤの収益合計は約１・２兆円であり、アマゾンの純利益の半分に過ぎない。総資産６・７兆円のうち、のれんが２・８兆円と最大の資産であり、アスクルやＺＯＺＯ、一休、ＬＩＮＥなどＭ＆Ａで成長を遂げてきたことがわかる。また研究開発費は27億円と少なく、自前投資主体のアマゾンとの明確な違いが見える。

17　章末の［文献８］第２章より。

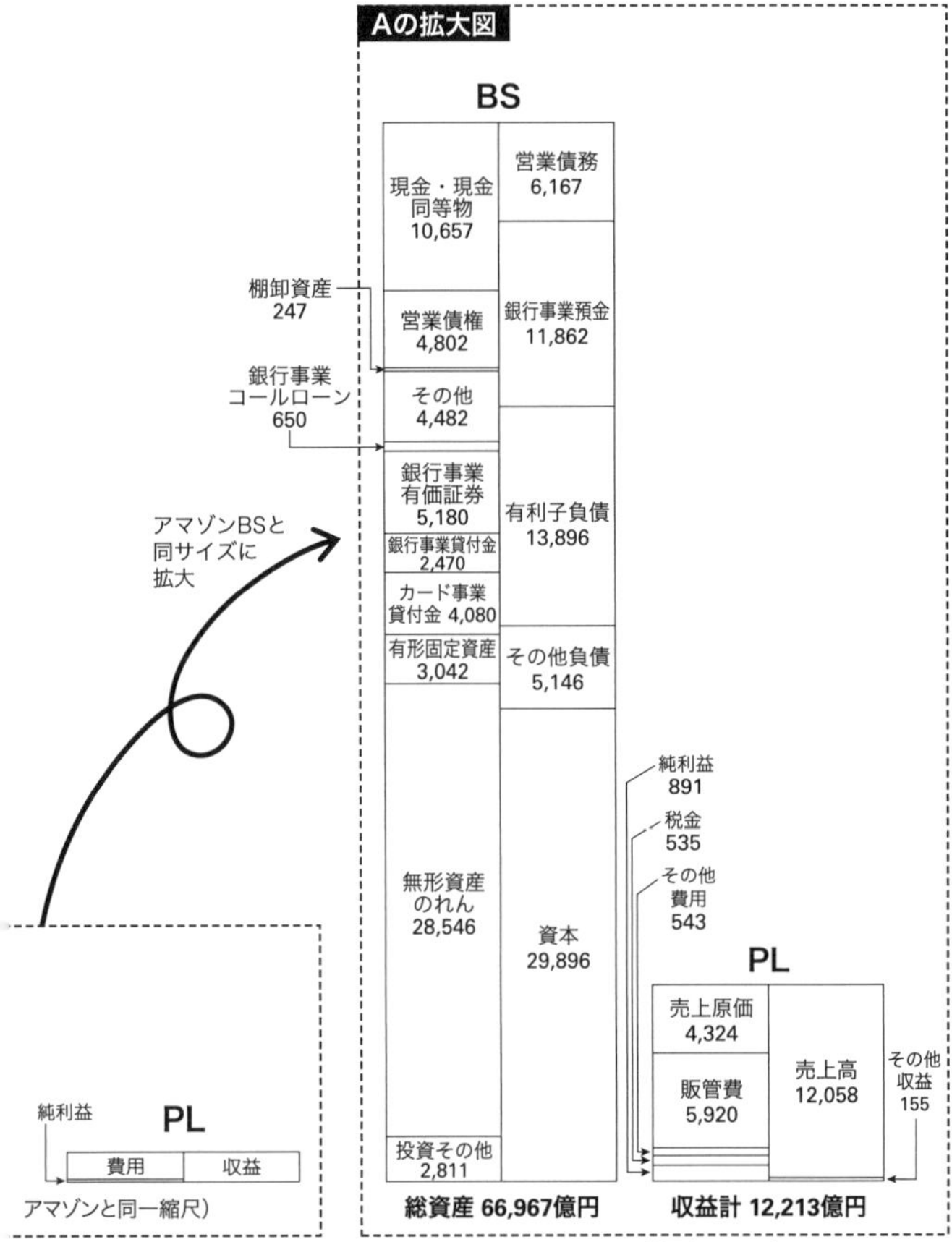

ZHD（旧ヤフー）
（2021年３月期、単位：億円）

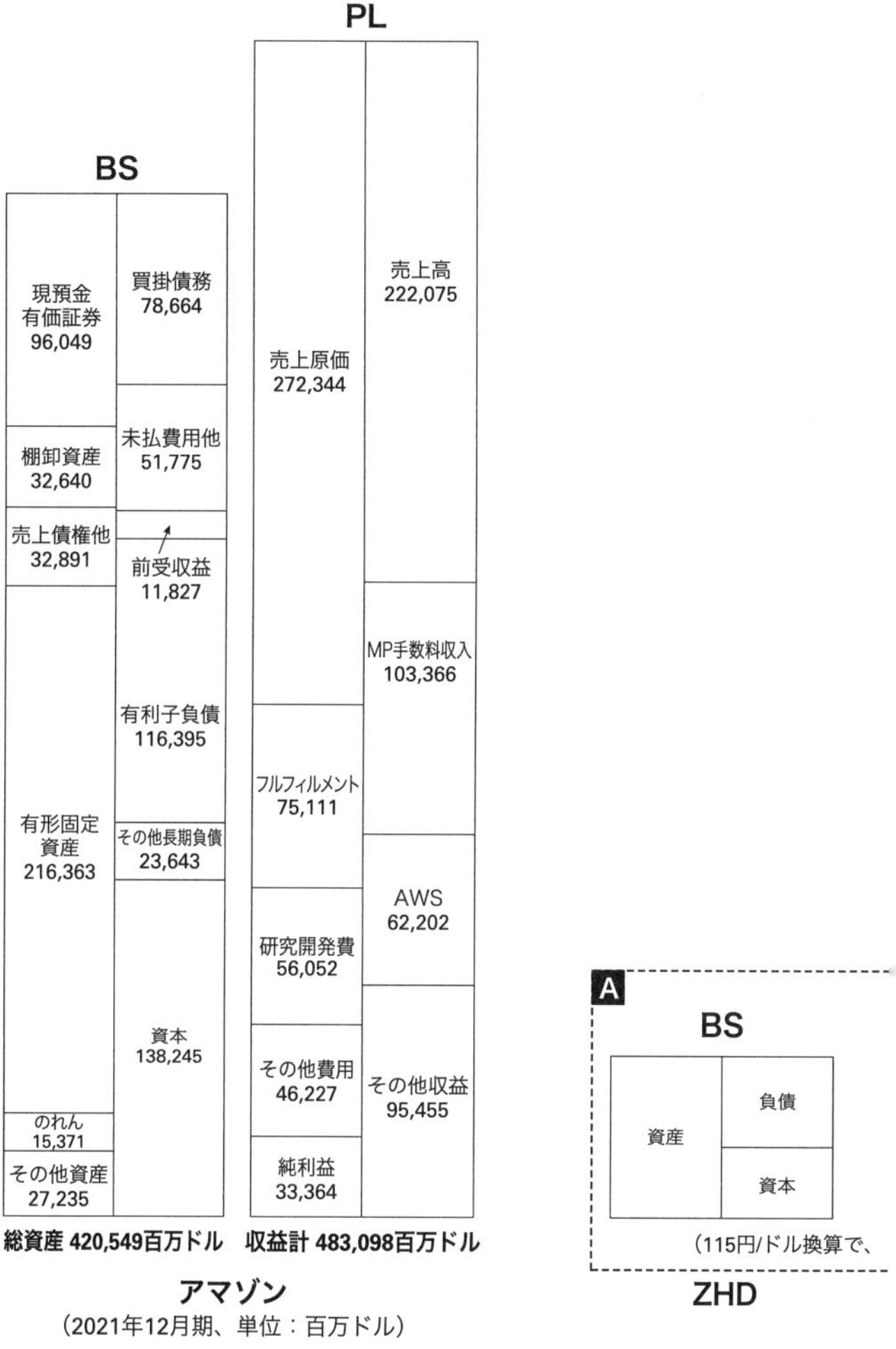

図表4-3　アマゾンとZHDの財務諸表比較

ドットコム・バブル弾ける

アマゾンの急拡大は、２０００年に経済が暗転して転換を余儀なくされる。いわゆるドットコム・バブルの崩壊である。

アマゾン株の下落をきっかけにして、ＩＴ関連の株価が大暴落したのだ。１９９９年12月期のアマゾンの売上高は2倍以上の16億ドルに伸びたが、最終損失が7億２０００万ドルと予想の2倍ほどに膨らんだ。市場の楽観は吹き飛んだ。ＩＰＯ時に18ドルだったアマゾンの株価は２８９ドルをピークにして、バブルが弾けると15ドルにまで一気に下がった。アマゾンは崖っ縁に立たされた。

この時、ベゾスは素早く対応する。まず、さすがに拡大のペースをスローダウンさせた。倉庫を一つ閉鎖し、１３００人（社員の約15％）を解雇した。現金のストックを増やし、効率アップの施策を次々と打ち出した。

スローガンも「早く大きくなる」から「社内をまともにする」に方針転換した。株価が下がってストックオプションが無価値になり、社員のモチベーションが下がると、すかさず行使条件を緩める手を打った。当時の副社長が次のように述べている。

「社員は皆、頭に血が上った状態で走り回っているわけです。でもジェフだけは違うのです。嵐のただなかにあって、あれほど落ち着いている人物など見たことがありません」[18]

ベゾスは会計数値を詳細に検討し、「２００１年度第４四半期（10～12月）には黒字に転換する」とメッセージを社内に回した。急伸する売上高を見据え、幹部一人一人に経費の目標額を設定した。

そして実際にアマゾンは２００１年第４四半期に創業以来初の黒字を計上する。わずか５００万ドルの利益（1株当たり1セント）とはいえ、株価は急回復した。

株の暴落時、ベゾスはマスコミから袋叩きに遭ったが、積極的にメディアに登場し、アマゾンの未来を笑顔と自信をもって語った。

18　章末の［文献２］第４章より。

「顧客からはじめて、逆向きにブランドを作っていく」[19]

この頃、社内では商品価格の引き上げ、あるいは値引き抑制によって利益を確保しようという意見が強かった。しかしコストコ（Costco）の創業者ジム・シネガルとの出会いが、ベゾスの信念をゆるぎないものにする。

コストコは会員制サービスの小売業であり、高値で売れる商品も含めて、仕入れに対する利幅を14％に抑えて販売しているという。だからいつもお買い得感がある。粗利率の大半は年会費によるもので、そんな長期的視点で顧客に貢献し、会社を育てるのがポリシーだ。いわゆる「エブリデー・ロープライス」である。

ベゾスはむしろ商品の値下げを進めた。配送料無料キャンペーンも実施した（これが後述するアマゾン・プライムに発展する）。価格を引き下げれば、来客数が増え、固定投資の回収が進んで効率が上がり、さらに価格を引き下げられる。利益率が低くなるわけだ。しかしこの成功循環こそ、ベゾスの確信の事業モデルとなった。

ベゾスは社内研修会に『ビジョナリー・カンパニー』の著者ジム・コリンズを招いて議論した時、コリンズの「フライホイール（弾み車＝自己強化する循環）」の概念を参考に、アマ

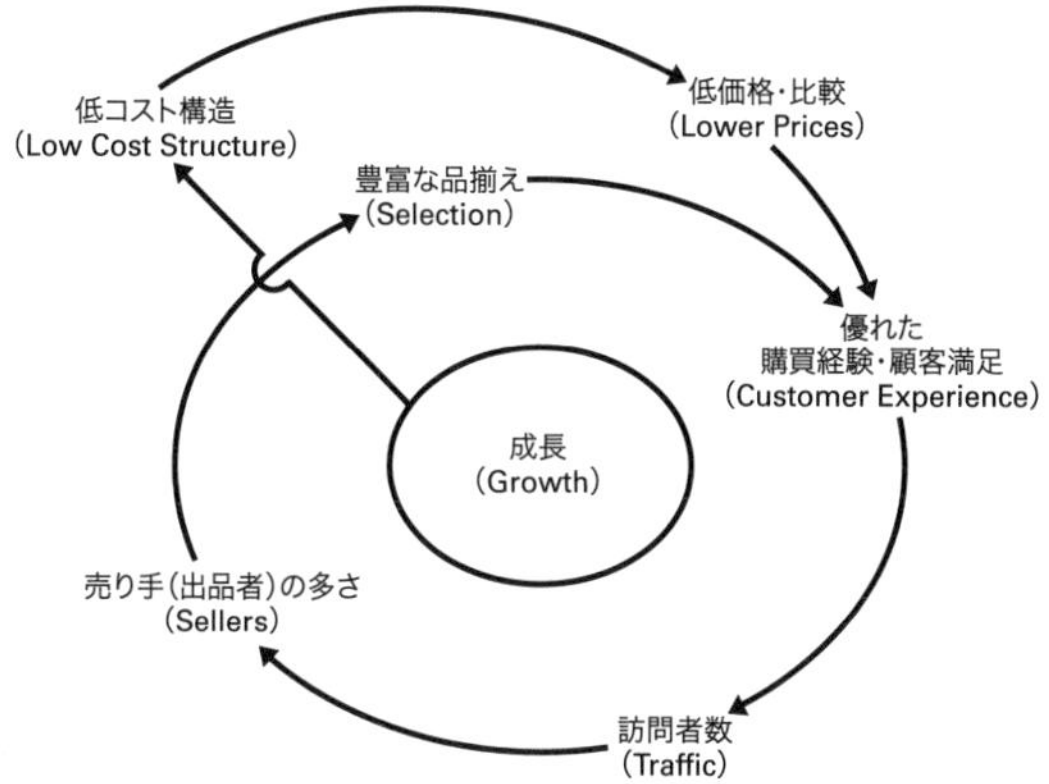

章末の［文献2］［文献7］および［文献8］より筆者が加工して作成。

図表4-4　フライホイール（弾み車）とアマゾンの成功循環

ゾンの好循環を図にした（図表４－４）。もともとベゾスが創業時に描いていた図を洗練させたものだが、この図で幹部たちは自社のモデルに肚落ちしたという。

２００３年には、様々な小売店が出店するネット・モール「マーケット・プレイス」を開始した。出店者は、平均15％程度の手数料（細目の条件によって異なる）でフルフィルメント・バイ・アマゾン（ＦＢＡ）というサービスが受けられる。これで出店者は商品をまとめてアマゾンの物流センターに送れば、商品保管から注文処理、配送、決済、返品処理までアマゾンのインフラを利用できる。出店者にアマゾンのインフラが公開されたことで、容易にネット販売に参入できるようになった。

古本屋の出店は既に１９９９年から始まっていたが、その仕組みを広げたのだ。

同じタイトルの新本と古本が並べば、古本が安い場合にはアマゾンは売上を失うことにもなりかねない。出版社や作家の団体からも「アマゾンは古本を優先して新刊本の販売を妨げている」という抗議が寄せられた。[20] しかしベゾスは揺るがなかった。彼は２０１８年の「株主への手紙」で、１９９９年から２０１８年までの20年間伸び続けた《出品者売上高／全体取扱高》の比率を並べ、次のように書いている。

「独立系出品者の売上割合は3％から58％まで（一貫して）伸びています。言葉を選ばずに言えば、こういうことです。『アマゾン本体は、出品者にボロ負けしている』。恐ろしい事態です[21]」

もちろん、アマゾンにとってメリットは多い。ネット・モールであるマーケット・プレイスの出店者が増えれば、手数料が増える。サイトの取扱高が増えれば、物流効率も向上する。そして世の中の売れ筋商品がわかり、アマゾンがＰＢ商品などの販売に乗り出すこともできる。このやり方はのちに問題視されたが、いずれにせよ、こうしてアマゾンの好循環はさらに膨らみ、アマゾンの全米取扱高シェアの40％強を支える基盤になっている。[22]

アマゾンは先行投資を続け、利益が出そうになると値下げを優先する。この行き方をいつまで、どこまで続けるつもりだろう。世界の小売市場規模約２７００兆円（２０２１年推計）で、シェア1割としても２００兆～３００兆円になる。あるいは全米シェア40％のレベルが目安とすれば取扱高は１０００兆円……そんなサイズの企業は前代未聞だ。

アマゾンはそれほどの深謀遠慮で、せっせと先行投資する。この水準の構想は「一企業がネット通販で儲ける」といったレベルを超えて、取引構造を作り変えるというレベルである。言い換えれば、商取引自体を再定義しようとしている。

既存産業がアマゾンによって破壊される現象を指して、「To be Amazoned」という言葉

---

19 章末の［文献4］第2章より。スコット・ギャロウェイはアマゾンは低利益にもかかわらず高株価で、低コスト資金を調達してきたことが成功要因という。それはベゾスのストーリーテリングの巧さにあると。

20 章末の［文献3］第3章によれば、アマゾンでは同じ商品が同一頁に並ぶこのスタイルを「シングル・ディテイル・ページ」と呼ぶ。楽天などの通販サイトなどでは、出店者ごとにページが設定されているので、購入者は同一商品を複数のページで比較するか、価格比較サービスを利用しなければならない。

21 章末の［文献8］第14章より。

22 同社ＨＰ（https://www.aboutamazon.com/）および章末の［文献7］第2章、［文献8］第2章より。

が流行したが、それは社会が作り変えられる時代の本流を指している。

「業界のよそ者」が発明する未来

ベゾスは、アラン・ケイの言葉「未来を予測する最善の方法は、それを発明することだ」を信じている。彼は２０１５年の「株主への手紙」でこう思いを述べる。

「我々は、発明装置（invention machine）でもあるビッグな企業になりたい」（筆者訳）

彼の言葉に繰り返し出てくる発明という言葉はとても深い。この言葉はアマゾンの行動規範でもある。このことを最もよく表すのが、キンドルの開発エピソードだ。

アマゾンは今や様々なハード端末の開発に積極的に取り組んでいる。顧客第一主義から見れば、多様な消費者インターフェイスを提供するのが当然だからだ。キンドルは２００７年に発売された電子書籍サービス端末である。

ベゾスは、アップルによるｉＰｏｄの登場によって音楽業界の構図が一変したのを目の当たりにして、「書籍を狙って、機器を出されてはたまらない」と思った。しかしアマゾンにはハードウェア開発の経験は全くなく、社内にその分野のエンジニアもいなかったので、端末の開発は無理と思われた。しかも既存事業である本の通販を食ってしまう機器を開発することに社内の抵抗も強かった。

アマゾンが電子書籍を始めることは、経営学でいうところの非関連多角化、いわゆる飛び地型多角化であり、一般に成功確率は低い。しかも主力事業とカニバリゼーション（共食い）を起こすような新事業は、できるだけ避けたいところである。

しかし、ベゾスの電子書籍にかける熱意は顧客満足から考えて躊躇《ちゅうちょ》が一切なかった。選択肢としては、既存メーカーに製造をアウトソースすることもできた。すでに発売されている他社モデルと似たものを出せば、参入はさらに容易だった。それでも「発明する企業」でありたいと考えるベゾスは、こう言い放った。

「必要な人材はこれから雇えばいい。難しい道なのはわかっている。どうすればいいのかはこれから学ぶんだ[23]」

ベゾスの「発明する！」が発動した。

ベゾスの経営でユニークなのは、新プロジェクトを立ち上げる時に「何をするか」ではなく「誰がどのようにするか」を決めることだ。人から考え始めるのである。

重要な新プロジェクトのリーダーは、ベゾスに最も近い「Sチーム」（Sはシニア）の一員に加え（副社長クラスの地位に相当）、しかも専任として独立性を与え、必要な全権を与える。アマゾンではこれを「シングルスレッド・リーダー」と呼ぶ。[24] シングルスレッドとはコンピュータ用語から取ったもので、「一度に一つのことだけ取り組む」ことを意味している。

日本企業ならば新規事業の形式的責任者は兼担の役員で、現場リーダーは課長クラスというパターンが多かろう。しかし、それでは余力で事業を進めるようなもので推進力は弱い。一方、アマゾンのシングルスレッド・チームはベゾス直下の強力チームである。チームが全力疾走できるのだ。

そして指名した事業リーダーにベゾスは次のように厳命した。

「君の仕事は、いままでしてきた事業をぶちのめすことだ。物理的な本を売る人間全員から職を奪うくらいのつもりで取り組んでほしい」

キンドルの開発においてはエンジニアのリーダーにアップルでハード開発責任者の経験をもつ人材を引き抜いた。その彼はシリコンバレーに開発拠点を立ち上げた。シリコンバレーは、シアトルより端末に明るい人材が豊富で、必要な人材を必要なだけ集めることができた。また、電子書籍事業は、ｉＰｏｄと似てハード開発だけでなく著者や出版社などコンテンツ制作者との協業が欠かせない。したがって出版業界に通じた人材もかき集め、開発を進めていった。

こうして自前でキンドルを開発したおかげで、アマゾンは競争力のある製品と共に広い技術基盤も獲得できた。それは例えば、パソコンにつながなくともキンドルに直接ダウンロードできる仕組みであったり[25]、それまでのスクリーンと異なる本のようなテイストで直射日光下でも読めるＥインクの採用だったり。アウトソースしていれば、二番手争いには加われて

23 次の発言部分も含めて章末の［文献2］第8章より。
24 章末の［文献7］第3章および第7章より。
25 アマゾンの調査によれば、ｉＰｏｄユーザーがパソコンにつなぐのは年に一度で、ほとんどのユーザーは最新曲を入れずにｉＰｏｄを持ち歩いていた。これは「古びたｉＰｏｄ」症候群として知られていた。

も、トップランナーにはなれないのだ。

こうした積み重ねの甲斐あってキンドルは電子書籍9万点と共に発売された。ソニーの２万点に大きな差をつけ、おかげでキンドルは瞬く間に人気を集め、２０１１年にはアマゾンの電子書籍の販売数が印刷本を超えた。

キンドル発売と同時に、無料で電子書籍の自主出版ができる「ＫＤＰ（Kindle Direct Publishing）」も始めた。著者が自ら設定した販売価格など条件に応じて、アマゾンは30～65%の手数料を受け取る。[26] アマゾンを介して、著者と読者が直接つながるので、出版社や取次、書店を飛ばすことになった。書籍販売の下流を押さえたアマゾンが「いよいよ上流に乗り出した」と出版業界に衝撃を与えた。川上のコンテンツ制作者にアプローチする取り組みは、後の「アマゾン・プライム・ビデオ」で映画製作に踏み込むモデルにもつながっている。

キンドルの成功は、他にも多くの恩恵がもたらされた。電子機器の技術を獲得したおかげで、その後の様々な機器の開発につながったのだ。

例えば、それはスマートアシスタント「アレクサ」を搭載したＡＩスピーカー「エコー」（２０１５年発売）の開発である。これを使えば、声だけで消費者が好きな分野のニュースや音楽を聞いたり、家電を操作したり、買い物などができる。またスマートフォンのアプリに当たる機能をエコーでは「スキル」と呼ぶが、アマゾンは技術仕様をオープンにし、スキルの開発者が課金できる仕組みも導入している。こうして２０２１年9月末時点で、全世界のスマートスピーカー出荷台数におけるアマゾンのシェアは26％となり、2位のグーグル（21％）を上回ることとなった。[27] 他にもアマゾンはアレクサ搭載デバイスを次々と発売している。

発明すればいい。

アマゾンのこの行動スタイルは、日本企業と真逆ではなかろうか。

日本企業が新規事業を検討する時、ＳＷＯＴ分析や5Ｆｏｒｃｅｓ分析がよく使われる。市場分析で規模や成長性を見ながら、自社の強みが活かせるかどうか、競合の動きを見て勝てるかどうか、などが議論される。先にも述べたように、既存の社内リソースが武器になら

26　国によって取引慣習は異なるが、例えば日本では販価は概ね出版社が決め、その10％が印税として著者に配分される。２０１１年の「株主への手紙」のなかでベゾスは、米国の電子書籍の場合、アマゾンでは最大70％が著者に配分されるのに対して、大手出版社からの配分率は17・5％と明かしている。

27　米市場分析会社 Strategy Analytics 調べ。

ないような新事業は、負け戦になる可能性が高いからだ。
「そんな力はウチにはない。できることをやろう。飛び地などもってのほかだ」
ただ、できることから考えると、事業プランの構想はどんどん小さくなってしまう。「企業」とは「業を企てる」と書く。事業を創造するのが企業であり、ドラッカー流にいえば「顧客を創造する」のが企業であるはずだ。

ベゾスは株主への手紙（２００８年）で、既存リソースから発想する行き方を「スキル・フォワード（Skills-forward Approach）」といっている。この行き方では、企業は新しいスキル（fresh skills）を獲得することにはならず、やがて既存スキルが時代遅れになって衰退する、と。対照的に、自分たちの行き方はキンドル開発を例にとって「ワーキング・バックワーズ（Working backwards：顧客を起点でさかのぼって動く）」といっている。

顧客ニーズが明らかで、その意義は続くと確信できたら、その解決のために何年かかろうと苦心して働くのが、アマゾン流だ。顧客ニーズから逆算して新しいスキルを構築し、発明し、ブランドを作っていくのだ。

アマゾンも自社のリソースから発想したら、印刷本のネット販売に集中したろう。しかし顧客から考えれば、既存事業に「選択と集中」するわけにはいかない。冒頭で紹介したブルーオリジンは、宇宙工学の門外漢ベゾスによってリードされている。ライバルのスペースXをリードするのは、テスラ創業者のイーロン・マスクである。彼も宇宙工学や自動車工学とは無縁だった人。業界の「よそ者」がイノベーションを起こしているのだ。

「発明すればいい。必要な人を雇えばいい。学べばいい」というポリシーは、大変革の時代の勇気ある見識ではなかろうか。ベゾスのこの行動スタイルは、物流大改革でも見られる。

物流システムも発明[28]

アマゾン急成長の過程で、混乱を極めたのが物流である。Eコマースという新業態の難しさに加えて、売上の急増、商品アイテムの膨張、販売エリアの急拡大……。従来の物流技術では、とうてい対応できない。つまり使えるシステムが世の中になかった。ならば自ら作るしかない。「発明すればいい」である。

初期のアマゾンの物流システムを作ったのは、ウォルマートから引き抜いた幹部たちだっ

28　この節の情報の多くは章末の［文献３］により。ウィルケのエピソードは主に［文献２］第６章による。

た。しかしウォルマートの仕組みは、大量販売には向くが、アマゾンの小口注文に向いていなかった。ベゾスは物流大改革のための人材探しを始めた。

例によってプロジェクトを「人から始めた」のだ。これに応えたのが、ジェフ・ウィルケである。ウィルケはベゾスの3年後に、プリンストン大学を首席卒業し、マサチューセッツ工科大学院（ＭＩＴ）へ進学して、工学修士とＭＢＡのダブル学位を取得した天才である。ピカイチの頭の良さから、ベゾスと意気投合したという。

32歳の若さで、物流改革を託されたウィルケはシアトルに来るとすぐに、小売や物流のエキスパート以外の「業界のよそ者たち」をリクルートし始めた。業界のプロは避け、頭の切れる科学や工学の専門家10人のリストを作り、その全員を集めた。

まずウィルケがベゾスらと議論したのは「商品の保管と配送をアマゾン自身が行うべきか」だった。「物流はアマゾンにとってコモディティなのか、コアコンピタンスなのか？」という、戦略の根本的な意義から議論を始めた。彼らが出した結論は、コアコンピタンスだった。すべての商取引を再定義するならば、商品のデリバリーこそ取引の生命線と考えたのだ。

この点は、日本の楽天との違いである。楽天は、創業時に身軽さを優先し、自前物流を持たない「ノータッチ・システム」を信条とした。ただしアマゾンなどとの競争が始まると、物流網を構築しようとしたり、途中で頓挫したり、また再び持つべく日本郵政と組んだり、と迷走してきた面がある。

日本企業のＤＸ（Digital Transformation）も似た状況にある。「ＤＸ化に取り組んでいる」と答える日本企業の多くが、いまだに業務の効率化やコスト削減策としか見ない「なんちゃってＤＸ」をやっている。ＤＸをコアコンピタンスと捉えて、ビジネス全体を再構築するマインドには至っていない。

アマゾンで物流をコアとするならば、ウォルマート流では対応できない。個別の消費者に最短かつ効率的に届く最適ルートを素早くはじき出し、到着日時を顧客に約束できなければならない。そのためには、トヨタ・システムのような、個別受注生産に近い統合システムを構築しなければならない。川上のサプライヤーから社内、そして川下に至るリーン生産システムに近いものでなければ、顧客第一主義は実現できないはずと、ベゾスとウィルケは結論づけた。

アマゾンではそれまで、ウォルマート流に倉庫とか物流センターという名称が使われてきたが、ウィルケはフルフィルメント・センター（ＦＣ）[29]と呼ぶことにした。

続いて実際にコンサルタントを招き、トヨタ・システムを学んだ。トヨタ流の改善活動が導入され、大きな不具合が起きるとアンドン・コードが引かれた。[30] こうして刷新した新たな物流は次の流れとなっている。

アマゾンが注文を受けると、システムが納期やコストの観点から、最も効率的な納品経路を計算する（注文管理と物流管理）。商品の購買は、どのサプライヤーから仕入れるのが最も効率的か、仕入れ価格だけでなくボリューム・ディスカウントも含めて、どのように発注を配分するか（「カスケード」と呼ばれる）を計算する。購買には、もちろん自社開発した精度の高い需要予測が組み込まれる（購買管理）。

また、どの配送業者に配送を依頼するかを決める（配送管理）。配送の決定は企業だけでなく、Amazon Flexも含まれる。これは２０１５年から始めた、事前登録した個人ドライバーがお急ぎ便を配達する仕組みである。

ＦＣに納入された商品は、「フリーロケーション」で近くの空いている棚に納められる（一般に倉庫で使われるのは「固定ロケーション」）。商品のピックアップは現場社員が棚の場所に取りに行くのではなく、アマゾンが買収したロボット会社Ｋｉｖａが開発した自動走行ロボットが棚自体を持ち上げ、ピッキング作業員の所まで運んでくる（倉庫管理）。

これらはすべてアマゾン社内で連携しているだけでなく、サプライヤーや配送業者とも情報連携している。統合システム全体を自社開発した成果といえるだろう。

ただ一つ注意しておかなければならないのは、システム間の相互依存性を高めるとシステムの硬直性をもたらすことだ。どこかを手直しする場合、関係するシステムや作業の変更も必要になり、他業務とすり合わせなければならなくなる。

例えば販売部門が品目アイテムを増やすと、受注も配送も購買も倉庫管理もすべて手直しが必要になる。このための社内調整があまりに面倒なので、システム改善が遅れる。日本企業の情報システムが大規模ゆえに、旧態依然としているのはこの理由が大きい。

ベゾスはそのことに気づいていて、創造的なシステムを創るクリエイターたちのためには、「依存関係を調整するコミュニケーションを最小限にすべきだ」と考えた。そのためにアマ

---

29 「Fulfillment」は「期待された任務を達成する」「満足させる」という意味を含む。

30 トヨタの製造工程では、不具合が生じると工程をストップして前後の工程メンバーが集まり、改善策を施してから生産が再開される。不具合の要因を源流で止めなければ、不良品がどんどん流れ、不効率は拡大するばかりだからである。工程を止めるのが「行燈紐（あんどんひも）」であり、今はＩＴ化されているがそのスイッチは「アンドン」と呼ばれている。

ゾンのシステムは様々な工夫がこらされている。

　例えばプログラムやデータベースのまとまりをパーツに分け、それぞれの管理を分散化し、使う側が選択してパーツを組み合わせて使えるようなシステムの構造になっている。このアーキテクチャーはのちのＡＷＳと考えは同じである。[31] このおかげでシングルスレッド・リーダーが小さなチームを率いて、機動的に改善活動ができる素地が整えられた。アマゾンでは小さなチーム編成のことを「ピザ２枚チーム」と呼んでいる。Ｌサイズのピザが２枚あれば全員にいきわたる程度に、小規模に抑えるという意味だ。アマゾンの新プロジェクトは、極力ピザ２枚チームで進められる。

　ウィルケはＦＣマネジャーの声が社内に通りやすくする対策も講じた。アマゾンでは、リテール部門とオペレーション部門は対等に扱われている。具体的にはＳ＆ＯＰ（Sales & Operations Planning）と呼ばれる、製造業で行われる製販会議が毎週行われ、摺《すり》合《あわ》せが行われる。改善活動は販売と物流一体で進められる。

　またＷＢＲ（Weekly Business Review：週次経営会議）が開かれ、様々なＫＰＩ（Key Performance Indicator）をもとにレビューも行われる。ＫＰＩにはインプット指標が取り上げられる。売上高や利益、株価などの実績数値はアウトプット指標とされ、それらは直接コントロールすることはできないが、それらを決める要素となるインプット指標ならコントロール可能だからである。

日本企業で「売上を上げろ！」と部下を叱咤《しった》するトップや管理職をよく見かけるが、これでは部下がオロオロするだけで事態は改善しない。アマゾンでは現状を科学的に分析し、インプットから改善策を講じる。ここにアマゾンのユニークさがある。

例えば売上を決める要素の一つに、品揃えがある。最初の頃は、闇雲に品揃えを増やしていったが、どうやらコストばかり増えて売上増加にあまり結びついていないようだった。詳しく分析していくと、顧客は品目数が増えても迷うばかりで購買意欲は高まらないことが判明。しかし「在庫があり、注文して２日で届く商品」のページには強く反応することがわかった。このことから売上を上げる品揃えのＫＰＩを、速納できる在庫商品のページ数と設定し、それを増やす改善に取り組んだ。

アマゾンではこうしたＫＰＩの分析を常に見直している。またインプット指標をキッチリ実践していれば、たとえアウトプットが上がらない場合でも評価される仕組みになっている。

31　章末の［文献12］第３章より。

さらに各ＫＰＩにはオーナー（主担当者）が決められていて、進捗の度合いや改善などの状況について、社内の厳しい質問に答えなければならない。目標を達成しても「なぜ達成できたのか」を論理的に説明し、情報共有が求められる。

こうして積み上げられたノウハウは、社内掲示板にアップされ、イントラネット上で社員なら誰でもアクセスできる。そして同じような問題に直面した社員は、その作成者に国境を超えて質問することができる。

システムの自動化や高度化、精緻化は休むことなく、開発が続けられている。そしてこれらの高度システムを外部に開放することで、またもや新事業展開につながった。その一つがアマゾン・ウェブ・サービス（ＡＷＳ）である。

システムのオープン化政策とＡＷＳ

創業して間もなくは、アマゾンの開発人材の採用はシアトルに本社を置いたこともあり順調だった。しかし、２００４年8月にグーグルが株式を公開すると状況が変わる。それまで知られることのなかったグーグルの飛び抜けた業績が公になると、そのビジネスモデルの中身に誰もが驚愕したのだ。

この頃、アマゾンの株価は大きく下がり、２００５年にはグーグルの株式時価総額はアマゾンの４倍になった。ベゾスは創業間もない頃から「アマゾンはテクノロジー企業」と主張していたが、当時は外側からは「利益の薄い通販企業」にしか映らなかった。

さらにまずいことに、グーグルは研究開発拠点をシアトルにも置いた。第２章で書いたように、グーグルには至れり尽くせりの福利厚生が社員に提供されていた。当然のようにエンジニアがアマゾンからグーグルへと大量流出する。二人の貴重な技術統括幹部も引き抜かれ、ベゾスは激怒した。

この頃、ベゾスは口癖のように「この難局を切り抜ける道は一つしかない。出口を作るんだ」と言った。出口とは、アマゾンを「イノベーションの企業」と社会に認めさせることである。

そのためのプロジェクトは既に進めていた。マーケット・プレイスの出店者がアマゾンのインフラを使えるのと同じように、世界の開発者にアマゾンの情報システム・インフラをオープンにするというアイデアである。これがＡＷＳである。ＡＷＳは２００６年に公開された。

開発のインフラとなるシステムは、あくまで開発者の創造性をそそる自由な環境を提供するものでなければならないと、ベゾスは考えた。コンピューティングの構成要素を細かく分解して提供し、開発者が自由に組み合わせて使える安価なシステム。これはアマゾンの社内システムの思想そのものである。

ここで、ＡＷＳの話の前にアマゾンのユニークな経営手法をいくつか紹介しておきたい。それは「ナラティブ」である。

アマゾンでは会議や提案などの際、パワーポイント（ＰＰＴ）は一切使わない。すべて６ページ以内の文書を作成する決まりである。それはなぜか？　ＰＰＴは思考停止につながるという論文を読み、ベゾスが共感し決めたのだ。これは、すごくよくわかる。

普通、企業における新事業提案などの場面では、ＰＰＴのオンパレードである。ＰＰＴにはＳＷＯＴ分析など定番の分析ツールが並べられ、もっともらしい提案で結ばれる。しかし質問していくと、実は分析が提案につながっていないことが圧倒的に多い。何となくつながっていると錯覚して画像やグラフを並べているが、論理がつながっていない。思考停止しているのだ。これは誇張ではない。

ところが文章にしてみると、起承転結が流れていないことが一目瞭然。あるいは論理がつながっていないので、文章が書けない。ベゾスはこれに気づいていた。

したがってアマゾンの会議は、すべてPPT禁止。参加メンバーは提出された6ページの文章を20分前後で黙読してから議論が始まる。

もう一つ、新事業提案では、プレスリリース（PR）とよくある質問（FAQ）を作成することになっている。PRは1枚で、そのまま対外的な報道に使えるように書くのである。これを書くと、顧客から見た製品・サービスの魅力ポイントが明らかになる。最初に「理想の顧客体験」を定義し、チームが合意した上でプロジェクトがスタートする。またFAQを書くと、想定される解決すべきハードルが明らかになる。

AWSでもそれが作成された。そのPRには「学生が寮の部屋から、最先端のシステム・インフラにアクセスできること」と書かれていた。そのまま本当にプレス発表に使われたのだ。また当然だが、「学生から見た妥当な価格」がFAQに載った。このPR／FAQは開発メンバーのベクトル合わせに役立ったことは言うまでもない。

開発が進むなかで、ベゾスはAWSの料金体系を電力と同じ従量課金制で考えた。しかも目先は赤字でもいいから、低料金にしたい。スタッフから1時間15セントの料金が提案されたが、スタート直前に10セントに引き下げた。アマゾンはコスト構造が優れているし、利益率を引き下げれば、競合も参入に二の足を踏むはずだった。ｉＰｈｏｎｅを驚くほどの高価格にして、競争相手をスマートフォン市場に引き寄せたスティーブ・ジョブズのやり方は避けたかったのだ。

こうしてＡＷＳが誕生したことによって、自前でサーバーを用意すれば半年以上かかるシステム導入も、ＡＷＳでは５分程度で利用環境の準備が整うことになった。クラウド・コンピューティング・サービスが安く利用できるようになった結果、ベンチャーの創業も容易になった。日本のベンチャーも多くがＡＷＳを使っている。

ＡＷＳの成長を見逃したグーグルＣＥＯ（当時）のシュミットはこう悔しがる。

「突然、あちらもこちらもアマゾンという状態になった。成長力のある会社がみんな自分のプラットフォームを使ってくれるというのはすさまじいメリットです[32]」

こうして後を追うようにして２００８年にはグーグルが、２０１０年にはマイクロソフトが同様のサービスへ参入した。

ＡＷＳはセキュリティ環境でも最高レベルのサービスを提供している。

２０１３年３月、米中央情報局（ＣＩＡ）がＡＷＳを採用すると発表した。[33] 情報セキュリティを何よりも重視する諜報機関が、長年取引実績のあるＩＢＭを差し置いてＡＷＳを選んだことで、業界に衝撃が走った。

さらにＡＷＳは、ＡＩやビッグデータ解析など最先端のシステムをいち早く提供することで、クラウド・サービスの先頭を走っている。クラウドの世界市場規模は２０２１年で１７８０億ドル（約20兆５０００億円）でＡＷＳのシェアは33％、Microsoft Azureが21％、Google Cloudが10％弱と続いている。[34]

32　この節のエピソードや文言は章末の［文献2］第7章より。

33　ＡＷＳは米ＣＩＡやＮＡＳＡをはじめ、ＧＥやマクドナルド、わが国でもファーストリテイリングや三菱ＵＦＪ銀行など多数の企業が既に利用している。またＮＥＣなどＩＴベンダーが、ＡＷＳへの移行支援サービス事業を強化しつつある。ＡＷＳで使われるサーバーやルーター、通信制御の半導体などはすべてアマゾンが自ら設計し、製造を外注している。以上は日本経済新聞「『クラウドは全産業のインフラ』アマゾン子会社ＣＥＯ」（２０１８年12月5日）などより。

34　章末の［文献14］より。

続くアマゾン革命

アマゾンのエブリシング・ストアへの疾走は、緩むことがない。

幅広いサービスを束ねる仕組みとして、２００５年には有料会員制プログラムの「アマゾン・プライム」が始まった。当初は年額79ドル（２０２２年４月現在は１３９ドル。日本では当初３９００円、現在は４９００円）で、１～２日の配送無料オプションが使い放題となるサービスである。地域によるが、現在では翌日または即日配送が無料となるだけでなく、映画やドラマが見放題で、その他の会員特典は15以上に及ぶ（追加料金あり）。会員数は２０２０年１月に１億５０００万人を突破した。

動画配信サービス「アマゾン・プライム・ビデオ」はそのプライム会員特典の一つだ。アマゾンは莫大なコストを投じてオリジナルドラマを次々と制作し、ネットフリックスなどと競って数々の賞も獲得している。おかげで音楽や映画、テレビ業界が揺らいでいる。

ネットとリアルの相乗効果を狙って、アマゾンはリアル店舗へも投資している。

「実店舗が消滅することはない。Eコマースが小売の一部を担うとしても、小売すべてを支配することはないのだから[35]」

ベゾスは早くから、ウォルマートを超えるような小売企業になるためには、どうしても衣料品と食料品を学ばなければならないと考えていた。

２０１７年に全米に約４５０店舗をもつ高級スーパー・チェーン「ホールフーズ」を１３７億ドルで買収した。生鮮食料品のネット販売を強化する一方、後方業務を合理化し、店頭価格も平均20％値下げした。また車載用エコーで注文した食品を、ホールフーズ店のドライブスルーでピックアップできる。

さらにレジのないコンビニ型店舗「アマゾン・ゴー」も実験を積み重ね、こうして培ったレジ不要の店舗技術を「Just Walk Out」というブランド名で他の小売企業にオープン化し、採用企業は増えてきている。

アマゾンは２０１２年にロボットメーカーのKiva Systemsを7億７５００万ドルで買収

35　章末の「文献7」第5章より。

した。また２０１９年4月には倉庫用ロボットのスタートアップCanvas Technologyも買収するなど、M&Aを駆使して物流の自動化では業界の先頭を走る。その他にも、自動走行の開発スタートアップAurora Innovationに投資して、自動運転トラック関連の技術拡張に取り組んだり、EVメーカーのRivianに投資して、電動車による商品配達も目指している。

航空輸送についても、複数社とのリース契約によって「Prime Air」と書かれた専用貨物機を数十機保有し、米国での翌日配送を可能にするべく着々と進めている。

アマゾンのこうしたアグレッシブな急展開は、様々な業界に衝撃を与えている。近年、アマゾンがあらゆる企業・産業を革新、淘汰《とうた》することを象徴して「アマゾン・エフェクト」という造語が生まれた。また「To be Amazoned」という言葉は「アマゾンの参入により、自社の既存事業が破壊され、なすすべもなく見守る」という意味で使われる。ある米投資情報会社は、アマゾンの参入で収益下振れが見込まれる約50社で構成された株価指数「アマゾン恐怖（Death by Amazon）銘柄指数」まで発表しているという。

さらにアマゾン・エフェクトはサービス業にも及ぶ。

例えば、銀行など既存の金融業にとって最大の懸念は「アマゾン銀行の認可」であるといわれている。現実にアマゾンは既に実質的に金融業と呼びうる、多くの事業を始めている。業界関係者が「既存の金融機関にイノベーションがなかったことが問題だ」と言うように、規制に安住してきた金融業界に脅威は見えつつある。

医療および医薬品の世界も同様である。

２０１８年1月、アマゾンはバークシャー・ハサウェイ、ＪＰモルガン・チェースと共同で、従業員向けヘルスケア会社を立ち上げると発表した。中間層の多くの人々の健康が保険でカバーされないアメリカ社会。「アメリカ人の健康を救いたい」と、ゆくゆくは満足度の高い、しかし低コストの医療体制の確立を目指すという。この報道によってヘルスケア関連株は軒並み値を下げた。２０２１年にＪＰモルガンなどとの3社連携による計画は頓挫したが、それでもアマゾンは単独で着々と計画を進めている。こうしたアマゾンの新展開が、医療関連業界全体を再編へと突き動かしているのは当然だ。

革命のウラで

快進撃の一方で、今日、社会的な批判はアマゾンにも向けられている。

アマゾンがＩＴ革命の本流を担い、商取引インフラを再発明していることは、裏を返せばインフラを一企業が独占することを意味する。それは本来、公的セクターの事業であり、社会的な規制が必要なのは言うまでもない。膨大なデータの独占や、取引先に対する優越的な地位の乱用、課税逃れなどを巡って、各国政府の規制も強まりつつある。それはベゾスも認めるところだ。

例えば、データ利用の問題がある。ＡＩスピーカーなどさまざまなハードウェアに搭載されているアレクサにプライバシーは筒抜けである。「アレクサ！」という問いかけに応えるため絶えず周囲の音声を聞いていて、ユーザーの生活シーンすべての会話を拾っているのだ。

その音声データの管理が不安視される中で、２０１９年４月、アマゾン社員がユーザーとアレクサとの会話の一部を聞いていると報道された。アレクサの音声認識精度を上げるため、世界で数千人のスタッフが配置され、音声ファイルから人気歌手の名前などを抜き出し、ラベル付けの作業を行っているという。[36] のちにアマゾンはこれを認め、アレクサのプライバシー規定を改め、「音声録音はサービス向上のために、人間によってレビューされる可能性がある」という文言を加えた。[37]

アマゾンは、対従業員でも問題を抱える。２０１９年４月に一部の従業員が有志団体

「Amazon Employees for Climate Justice（ＡＥＣＪ）」を結成し、ベゾスとアマゾンの取締役会宛て書簡[38]を公開した。同社が気候変動に対する積極的な対策を講じるよう求めるもので、８７００人余りの従業員が署名した。

　このような動きを受けて、ベゾスは２０４０年までにカーボン・ニュートラルを実現するという「The Climate Pledge」を発表し、さらに２０２０年2月には気候変動対策に自身の資産１００億ドルを活用すると宣言した（ベゾス・アースファンド）。

　ただアマゾンを擁護する見方も根強くある。独占禁止法第1条には「一般消費者の利益確保」が最優先と書かれているが、消費者がアマゾンを支持しているからだ。

　ジョージタウン大学とナイト財団が資金を提供した２０１８年の世論調査[39]では、アマゾンが米国で最も信頼できる組織の一つだとみなされている結果となった。

36　章末の［文献15］より。
37　章末の［文献16］より。
38　章末の［文献17］より。
39　章末の［文献18］より。

日本は「To be Amazoned」にどう対応する？

アマゾンが果たしている本質的な役割とは何だろうか。

アマゾンの仕事は「ＩＴ革命の本流」に位置している。革命とは破壊と創造であり、新しい社会の創造と、既存システムの破壊は同じコインの表裏である。ここで創造を重視するか、それとも破壊を食い止めることに重きを置くのか、正解はない。

あらためてアマゾンの果たす役割を、ミッションステートメントで見てみよう。主文はこうある（日本語訳はアマゾンジャパンＨＰによる）。

「Amazonは４つの理念を指針としています。お客様を起点にすること、創造（invention＝発明――筆者注）への情熱、優れた運営へのこだわり、そして長期的な発想です。Amazonは、地球上で最もお客様を大切にする企業、そして地球上で最高の雇用主となり、地球上で最も安全な職場を提供することを目指しています。…」

そしてこれに続けて、アマゾンの行動規範である「16のリーダーシップ原則」が続く。以下、筆者が特に重要と考える一部を並べた（かっこ内は筆者の意訳）。

Customer Obsession（カスタマーに全力を傾注）
Ownership（全員が「それは自分の仕事ではない」と言わない事業主の気風）
Invent and Simplify（発明・創造、わかりやすく）
Learn and Be Curious（常に好奇心をもって学ぶ）
Hire and Develop the Best（ベストな人材を採用し能力を開花させる）
Insist on the Highest Standards（最高水準にこだわる）
Think Big（常に大きく大胆に考えよ）
Bias for Action（リスクはつきもの、行動とスピードこそ大事）
Frugality（倹約。かけるヒト・カネは最小限）
Dive Deep（すべての現場を注視せよ）
Have Backbone; Disagree and Commit（軸を持て！　勇気をもって異議を、決定にはコミットを）

スローガンはともかく、重要なのはその行動規範が社内に貫徹しているか、あるいはそれを支えるメカニズムがキチンと機能しているかである。

日本のアマゾニアン（アマゾン社員）何人かと議論したが、日本法人もベゾスの理念に忠実に動いていると感じられた。例えば、社内は顧客便益をめぐって提案競争になっている。提案は多くの社員から出され、それは「本当に顧客のためになるか（Customer Obsession）」「提案は小さくないか（Think Big）」「もっと他に良い方法はないか（Invent and Simplify）」などが議論される。

意思決定の中身は二つに分類されている。「失敗した時、元に戻すのが難しい（後戻りできない）決定」と「後戻りできる決定」である。前者は慎重に検討されなければならないが、後者は「2 Way door」と呼ばれ、Doorを開けて（やってみて）失敗したら、元のDoorに戻ればいいという考え方が組織に浸透している。これがスピーディーな行動（Bias for Action）につながっている。

そしてひとたび推進事業に決定されると、多くの人から「自分がリーダーになる！」と手が挙がる。ボヤボヤしていると、提案競争にも推進役にも自分だけ置いていかれるので、先を争うという（Ownership）。

推進力となる人材のレベルは高い。また多種多様な新しい取り組みをしているので、多様な人材採用がいつも行われている。加えて第2章で述べた「バカの増殖」を避ける手立てを尽くしている。人材採用のレベルが落ちないように、バーレイザー（基準を上げる採用担当者）が何人もいて採用面接は厳しい（Hire and Develop the Best）。

こうした人材が担うアマゾン革命は日本でも力強く進んでいく予感がする。

ソニーや日本ＧＥなどを経て、アマゾンジャパンに6年勤務した谷敏行氏は著書『Amazon Mechanism』で、日本の問題は「カニバリゼーションを受け入れない会社」と「カニバリゼーションを受け入れない社会」であると述べている。[40]

日本企業は既存事業を否定する新規事業には踏み出せない。そして日本の社会も既得権益を否定する新しい展開を受け入れない、と。

その好例として、エアビーアンドビー（民泊仲介）とウーバー（ライドシェアやフードデリバリー・サービス）を挙げている。両社は、既得権益を破壊するイノベーションを起こした

40　章末の［文献11］終章より。

ベンチャーであり、米国から世界的なビジネスに育っているにもかかわらず、日本では規制によって活動が大きく制限されている。こうした規制を続ける限り、日本社会はベンチャーを生まない確信犯的社会ということになる。

ベゾスは２０２１年の退任発表時に、社員へのメッセージを公表し、それをこう締めくくっている。

「発明を続けてください。どんなにクレージーなアイデアに見えたとしても諦めてはいけません。好奇心を羅針盤にして。今もDay 1なのです[41]」

アマゾニアンやそのフォロワーたちが、クレージーなアイデアによる発明によって、こじ開ける社会を見たくはないか。軋轢と破壊の後に生まれる宇宙や医療や教育や金融や……変容のエブリシングを見たくはないだろうか。

41　引用元は脚注4と同じ。筆者訳。

主な参考文献

［文献１］Brandt, R. L. (2011)：*One Click: Jeff Bezos and the Rise of Amazon.com*, Penguin Group Inc.（井口耕二訳『ワンクリック：ジェフ・ベゾス率いるAmazonの隆盛』日経ＢＰ、２０１２年）

［文献２］Stone, B. (2013)：*The Everything Store*, *Little*, Brown and Company.（井口耕二訳『ジェフ・ベゾス　果てなき野望：アマゾンを創った無敵の奇才経営者』日経ＢＰ、２０１４年）

［文献３］林部健二『なぜアマゾンは「今日中」にモノが届くのか』プチ・レトル、２０１７年

［文献４］Galloway, S. (2017)：*The Four: The Hidden DNA of Amazon, Apple, Facebook, and Google*, Portfolio/Penguin.（渡会圭子訳『The Four GAFA　四騎士が創り変えた世界』東洋経済新報社、２０１８年）

［文献５］Davenport, C. (2018)：*The Space Barons: Elon Musk, Jeff Bezos, and the Quest to Colonize the Cosmos*, Hachete Book Group.（黒輪篤嗣訳『宇宙の覇者　ベゾスvsマスク』新潮社、２０１８年）

［文献６］桑原晃弥『amazonの哲学』大和書房、２０１９年

［文献７］Berg, N. & Knights, M. (2019)：*Amazon: How the World's Most Relentless Retailer will Continue to Revolutionize Commerce*, Kogan Page Limited.（成毛眞監訳『amazon「帝国」と

の共存』フォレスト出版、２０１９年）
［文献８］Anderson, S & K. (2019)：*The Bezos Letters: 14 Principles to Grow Your Business Like Amazon,* Morgan James Publishing.（加藤今日子訳『ベゾス・レター：アマゾンに学ぶ14ヵ条の成長原則』すばる舎、２０１９年）
［文献９］Rossman, J. (2019)：*Think Like Amazon: 50 1/2 Ideas to Become a Digital Leader,* McGraw Hill.（渡会圭子訳『アマゾンのように考える：仕事を無敵にする思考と行動50のアイデア』ＳＢクリエイティブ、２０１９年）
［文献10］Bezos, J. (2020)：*Invent & Wander: The Collected Writings of Jeff Bezos with an introduction by Walter Isaacson,* Harvard Business Review Press.（関美和訳『Invent & Wander：ジェフ・ベゾス Collected Writings』ダイヤモンド社、２０２１年）
［文献11］谷敏行『Amazon Mechanism：イノベーション量産の方程式』日経ＢＰ、２０２１年
［文献12］Bryar, C. & Carr, B (2021)：*Working Backwards : Insights, Stories, and Secrets from Inside Amazon,* St. Martin's Press.（紣川謙監訳、須川綾子訳『アマゾンの最強の働き方：Working Backwards』ダイヤモンド社、２０２２年）
［文献13］日本経済新聞２０２１年12月４日
［文献14］*As Quarterly Cloud Spending Jumps to Over $50B, Microsoft Looms Larger in Amazon's Rear Mirror,* synergy reseach group. (https://www.srgresearch.com/articles/as-quarterly-cloud-

spending-jumps-to-over-50b-microsoft-looms-larger-in-amazons-rear-mirror)

[文献15] *Amazon Workers are Listening to What You Tell Alexa*, Bloomberg. (https://www.bloomberg.com/news/articles/2019-04-10/is-anyone-listening-to-you-on-alexa-a-global-team-reviews-audio)

[文献16] 「Amazon、『Alexaプライバシー』設定に『人間によるレビュー』の文言追加」ITmedia (https://www.itmedia.co.jp/news/articles/1908/04/news017.html)

[文献17] Open letter to Jeff Bezos and the Amazon Board of Directors, Medium. (https://amazonemployees4climatejustice.medium.com/public-letter-to-jeff-bezos-and-the-amazon-board-of-directors-82a8405f5e38)

[文献18] http://bakercenter.wideeyeclient.com/aicpoll/

終　章

GAFAにあって日本企業にないもの

第三の波に乗ることはできるのか

Japan

第二の波〈産業革命〉の勝者・日本

あらためてＧＡＦＡと日本企業を市場が評価する価値で比較してみよう。

株式時価総額ではＧＡＦＡ４社の合計額（２０２２年３月末時点、約７７０兆円）は、日本の上場企業全社の時価合計（７００兆円前後）をはるかに超えている。世界トップはアップル（３３０兆円超）であり、４位アルファベット（グーグル）、５位アマゾン、そして９位がメタ（フェイスブック）だ。３位のマイクロソフトを加えてＧＡＦＡＭが世界のトップランナーとなる一方で、ランキング・トップ１００位以内に入る日本企業はトヨタ自動車（37位）１社しかない（いずれも２０２２年３月末時点）。

しかし、日本の株価がピークとなった１９８９年末時点では、この風景は真逆の様相だった。世界トップ20位以内に日本企業は14社も入っていた（図表５－１）。バブルもあって日本のＧＤＰは米国に次ぐ第２位だが、日本企業は「Japan is No.1」だったのだ。

しかしこの時を境に、その後今日まで「失われた33年」を続けているのが日本である。かつて、なぜ日本が世界のトップを走りながら、現在は低迷し、トップランナーＧＡＦＡをは

順位	企業名	時価総額	国	順位	企業名	時価総額	国
1	NTT	1,639		11	トヨタ自動車	542	
2	日本興業銀行	716		12	GE	494	
3	住友銀行	696		13	三和銀行	493	
4	富士銀行	671		14	野村證券	444	
5	第一勧業銀行	661		15	新日本製鐵	415	
6	IBM	647		16	AT&T	381	
7	三菱銀行	593		17	日立製作所	358	
8	エクソン	549		18	松下電器産業	357	
9	東京電力	545		19	フィリップ・モリス	321	
10	ロイヤルダッチ・シェル	544		20	東芝	309	

（単位：十億ドル）

図表5-1　1989年末における世界の時価総額ランキング

るかに見上げるようになってしまったのか。日本はかつての栄光を取り戻せないのだろうか。

それをシンプルにまとめて言えば、人類第二の波「産業革命」の勝利者が日本であり、替わって起こった第三の波「情報革命」の勝利者がシリコンバレーでありGAFAだからである。

1980年にアルビン・トフラーによって書かれた『第三の波』は、人類と社会の歴史的な変転を明快、かつ単純化して描き出した。[1]

人類史で大変革が起こった「第一の波」とは、約1万年前に起こった農業革命である。人類が農業技術を手にしたことで、食料を量産でき、村や集落が生まれ、国に発展した。

最初に大繁栄した四大文明を経て、農業革命は世界に広がり、18世紀の前半くらいまで欧州でこの余波が続いたのである。

そこに第二の波がヨーロッパに押し寄せた。産業革命である。

産業革命の引き金を引いたのは、１７６９年のジェームズ・ワットによる蒸気機関の発明だ。それは人類が初めて手にした強力なパワープラントで、綿紡績工場から始まり様々な工場の動力源に使われ、製品の大量生産の道が開けた。それまでは職人の手仕事が産業を支えていた。

さらに、その60年後の１８３０年頃には鉄道が登場する。イギリスで蒸気機関が鉄道に使われ、これで人やモノの大量移動が可能になると、広域経済が開けた。鉄道はブームとなり、人の心理的距離を縮め、人々の世界観をも変えた。

そして１８５０年頃、大量生産と広域経済の掛け算で象徴的に生まれたのがパリのボン・マルシェ。今のデパート、小売の原型である。つまり量産による安価で多様な商品を、広くお客を集めて大量販売する近代の商取引形態が生まれたのだ。

鉄道はアメリカをはじめ世界に広まった。アメリカは広大であり、鉄道業をはじめ様々な産業を巨大な組織で運営する必要に迫られた。そこで生まれたのが大規模な近代的株式会社である。さらに大会社の巨額資金を支えるために金融機関や金融市場が発達し、商業銀行やウォール街が生まれた。

さらに蒸気機関は発電機に使われて電気を生み、また石油を燃料とするエンジンが発明されて自動車を生んだ。広域経済がますます膨らむと、世界はどんどん狭くなり情報の画一化、共有化が進む。そして電報や新聞などのニュー・メディアが生まれた。人々の世界観は一層変わっていき、これに合わせて経済や社会が作り変えられた。近代社会の原型ができたのである。

産業革命以前は、人々は農村に大家族で暮らしていた。しかし、大量生産のために大量の労働力が必要になると人々は都市の工場に集められた。都市住民が多くなると、家族の単位が核家族に変わる。そして、工場の作業を整然と能率的に進めるために画一的な大衆教育の普及が進められた。その教育の重要な徳目は三つ。一つ目は時間厳守。二つ目は服従。そして三つ目は機械的な反復作業に慣れることである。

この徳目に最もなじむ国はどこだろうか。そう、それは日本である。

1　章末の［文献1］より。

農業社会だった日本に産業革命を象徴する黒船が来航し、その結果として起こった第一の波と第二の波の衝突が明治維新であり、同様の衝突がアメリカでは南北戦争である、とトフラーは言う。どちらもその歴史的紛争を経て、産業革命に全面適合すべく、国の舵が大きく切られた。

第三の波〈情報革命〉の勝者・シリコンバレー

明治維新によって社会体制は様変わりしたが、日本の農耕社会的な文化はそのまま残り、それが産業革命を支える徳目に見事にマッチした。産業革命の中心地が、発祥したヨーロッパからアメリカを経て戦後日本に移っていったわけがここにある。

日本は教育水準が高く、規律の厳しい大組織できめ細かい反復作業と長時間労働、そして改善活動が行われ、高品質で安価な製品群を世界にばらまくことができるようになった。20世紀前半、製造業はアメリカが圧倒的に強かったが、日本が徐々にその地位を奪っていく。繊維など軽工業を皮切りに、重工業、家電産業などの覇権を次々と奪い取り、１９８０年代に当時の米国の基幹産業だった自動車産業を脅かし始めた。アメリカはたまらず産業政策を大転換した。

カーター政権から政策を引き継いだレーガン大統領は「製造では日本に勝てない。創造の力でアメリカを復権する」と、新産業を育成する方針に転換した。つまり規制緩和を進め、研究開発を支援してイノベーションを起こし、ハイテク産業を育てるという政策である。そして、1929年の大恐慌以来「独占はすべて悪」という考えの下で続けてきたアンチパテント（反特許）政策を、プロパテント（特許擁護）に切り替えた。特許制度によって、発明者つまり米国の権利を守る狙いである。

規制緩和の一環で開放されたのが、アメリカ国防総省のARPANETであり、これがインターネットとなって世界に開かれた。おかげで第三の波＝情報革命が大きく進む。そしてアメリカがシリコンバレーのイノベーションを通じて、経済的覇権を取り戻していくことになる。

ピーター・ドラッカーは晩年の著作『ネクスト・ソサエティ』で面白い見方を示している。情報革命の初期段階の進み方が、産業革命のそれとよく似ているというのだ。

ワットの蒸気機関の発明から、蒸気機関車の登場までは約60年の空白期間がある。その理由は人類が初めて手にしたパワープラントの活用の術をイマイチ思い及ばなかったからだ。

工場の動力源に使うことは思いついて生産性は飛躍的に上がったものの、社会を大きく変えるドライバーにはならなかった。

しかし、蒸気機関が鉄道と出会って、この新結合が社会を変貌させた。人々が距離を克服すると世界のあり方が変わったというわけだ。

これはドラッカーに言わせれば、産業革命の第二の波及効果ということになる。そして彼は、情報革命もこれとプロセスがよく似ていると言う。

コンピュータが発明されたのは1940年代初め頃のこと。人々はこの発明の革命的な本質にまだ気づいていなかった。せいぜい高速の計算機か大量の事務処理機としてしか認識できなかったのである。生産性が上がり便利にはなったが、この段階で世の中を構造的に変えるのには力不足だった。

それから約50年後。長い空白期間を経て1990年前後にコンピュータはインターネットに出会う。そして蒸気機関が鉄道に出会ったように、このコンピュータとネットとの新結合が情報革命を本格的に進めることになった。鉄道は人々の心理的距離を縮めたが、ネットは距離をなくしたのだ。

だからドラッカーは、産業革命の進行過程を考えると情報革命も第二の波及効果が本格的に起こるのはこれからだと考えた。彼は「数十年後に、人々は今の誰も予想できない社会を見るに違いない」と言い残して２００５年に亡くなった。

この第二の波及期に、社会変革のソリューションを提案した人たちの一員としてＧＡＦＡがいる。いつまで革命のリーダーシップを握り続けるかはわからないが、この最初の時期のチェンジ・リーダーとして彼らは勝利者となった。

ちなみにドラッカーは、取引がネット経由となればそれを中心にして新しい手法や社会制度が次々と作り変えられていくはずと言い残している。資本主義社会を支えるのは、商取引形態である。産業革命時のボン・マルシェが現代ではＥコマースであり、これが商取引の基本形となれば、いずれ世界は一つの経済、一つの市場になっていくだろうと彼は考えた。つまりネットが心理的距離をなくし、グローバリゼーションが進んでいくと……。

グローバリゼーションの先駆けとなった象徴的事件といえば、「ベルリンの壁の崩落」である。壁は１９８９年11月に崩れた。なぜ、この時期に起こったのだろうか？

１９８０年代半ば、インターネットは最初に世界のアカデミアに開放される。すると、壁の両側に分断されていた東西の知識人たちは、双方向で意思を通じ合うことができるようになった。これが壁を壊した。同じ年の6月に中国で天安門事件が起こったが、これも学生たちがネットで意思疎通したことが要因である。さらにその後のジャスミン革命やアラブの春で独裁政権が倒れたのもネットゆえである（この時はフェイスブックやツイッターが活躍した）。つまりグローバル化と情報革命は同義、同根といえる。

ドラッカーは、一方で情報革命の負の側面も見た。

グローバル化が進むと、産業革命の中心が新興国にシフトし始める。最初に米国の製造業に従事する中間層から仕事を奪ったのは日本だったが、やがて中国などから安価な量産品が洪水のようにアメリカに押し寄せると、ますます中間層の生活が脅かされた。先端産業は繁栄する一方で、産業革命でかつて栄えた製造業とその従事者は没落を免れない。勝者と敗者の二極化が進み、貧富の格差が広がる。その痛みに耐えかねて、中間層の心情をつかみ生まれたのがトランプ大統領であり、反グローバリゼーションという歴史の反動である。

日本も似たような事情を抱える。

第三の波に乗るアメリカと、遅れて第二の波に乗る新興国の挟み撃ちに遭う形で、日本は苦境に陥っている。日本が新しい波に乗れず昭和にこだわり続けていれば、低迷するのは当然だ。明治維新から約１２０年続いた日本の繁栄はピークアウトしたのである。

シリコンバレーが革新の中心地になる理由

情報革命の中で、とりわけなぜシリコンバレーが勝利者になったのだろうか。

革命期には、新しく立ち上がった技術を使って我々の生活、それを支える社会、経済や政治構造を作り変えていく必要が生まれる。そこで起きるのが提案競争だ。

革新的な提案のできる人は「バカ者、若者、よそ者」の天才たちだ。なぜか。彼らはいわゆる常識を持たない。既成概念にとらわれず、今までとは異なる見方ができるからである。日本のビジネスパーソンは「良い常識人」が多い。礼儀正しく、世の中の常識に固まっている。残念ながら、こういう人にイノベイティブな発想は生まれにくい。

提案はどれかが選ばれて勝ち残るが、他の大多数は死ぬ。つまり競争に成功するのはほんの一握り。多産多死のなかで勝ち抜いた者だけが生き残るルールである。

となると成功例を増やすには、大きな提案者の母集団を作る必要がある。母集団が大きければ、その中から成功者が多く生まれる理屈だ。シリコンバレーには夥しい数のベンチャーが立ち上がるインフラがある。それを最初に創ったのが、スタンフォード大学である。

詳しい事情はシリコンバレーの本に譲るが、今から80年ほど前、スタンフォードは二流の大学だった。米国西部には企業が少なく、卒業生は就職のために東部に赴かざるを得なかった。そんな事情を変えたいと、同校の教授が大学院の学生二人に起業を勧めた。これが最初の成功例となる。ヒューレット・パッカード社（ＨＰ）である。

ＨＰは１９３９年、指導教授の勧めで二人の研究テーマだった計測器を事業化するために設立された。その立ち上げ資金は教授が出してくれた。二人が創業したガレージは今も残され、ここが「シリコンバレー生誕の地」と公式に認定されている。

大学もこうした取り組みを強力にバックアップした。広大な敷地に、インダストリアル・パークを作り、ハイテク企業を誘致し、産学共同を推し進めた。そのパークの中に、ジョブズがインパクトを受けたゼロックスＰＡＲＣがあり、ＮＡＳＡや半導体企業の研究所、そしてベンチャー・キャピタルも集まってきた。シリコンバレーという名は、シリコンチップ（半導体）からだが、半導体の雄インテルなどの成功に由来している。こうしたプレイヤーの掛け算から、ベンチャーが大量に立ち上がるインフラができ、革命期の中で繁栄を遂げたというわけである。

革命が進むと新しい成功者が生まれる一方で、淘汰される側はたまったものではない。既存勢力は、ありったけの力をふるって抵抗する。この強い反革命の抵抗にめげずに、なりふり構わず押し切ることができるのは、やはり忖度の苦手な「バカ者、若者、よそ者」たちである。彼らは過去にとらわれない。既存のしがらみにからめとられない。それらを無視して理想や思いを形にするために突っ走るのだ。

　前章までで見たように、アップルはFoolishな個人が切り開いた。他人への配慮を欠いたアートの天才がいたからこそ自分の好きな独善的世界を作り上げ、帝国を築いた。

　グーグルの天才たちが、若者らしい理想に走って検索技術を発明してくれたおかげで、インターネットの使い勝手は飛躍的に高まった。情報という神経質で微妙な世界に、無邪気で能天気な大学生ザックが「人と人のつながりの場」を作ってくれたからこそ、我々は断絶をカバーできるようになった。そして専門分野をやすやすと乗り超える門外漢＝よそ者ベゾスが、社会の基本取引を、医療を、金融を、そして宇宙までをも作り変えようとしている。

　こういう天才たちは、産業革命の申し子たちとは真逆の人たちである。産業革命期に強かった文化。規律重視、時間厳守、整然とした組織的協調、号令一下で正確な反復作業を長時間続ける忍耐強さ……。これと真逆の価値観。ブッ飛んだ構想力、組織ルールや規律にとらわれない柔軟な発想と強い自己主張、何でも可能にするワガママ行動、乗れば徹夜も辞さない突破力……。こうした資質の人々こそ、予想のつかない未来を切り拓く革命のリーダーたちである。

そして彼らを自由奔放な提案競争に駆り立てる環境（エコシステム）を作った国や地域が、情報革命の勝利者になることができる。それがシリコンバレーであり、その対極にいるのが日本だ。

シリコンバレーの対極にいる日本

あらためてシリコンバレーのエコシステムの構成要素を並べてみよう。

〈場〉無から有を生み出す提案力、つまり０から１を生み出すコンセプト・メイキングやデザインの力に優れた天才を、世界から吸引して育てる知的バトルの場としての大学を囲むエリア

〈技術〉サポートするテクノロジー人材（ＣＴＯなど）と技術基盤。大学や大企業、政府系の研究所などに加えて、続々と生まれるハイテク・ベンチャーの集積

〈ヒト〉高い流動性の中で、プロの経営人材（ＣＥＯ、ＣＦＯ、ＣＭＯなど）が、大学（ビジネススクール）や大企業、ベンチャーなどから供給

〈カネ〉ＶＣやエンジェル（ベンチャー成功者）、大学や企業、政府系機関から提供

〈制度〉規制緩和（例えば自動運転の容認など）、国がもつ技術の開放と民生移転（バイオ、宇宙など）などの支援。法制・税制のバックアップなど

最後の項目を少し補足すると、先述したように米国政府もスタンフォードと同じ方向の政策を進めた。日本の製造業に攻め込まれて不振に陥ったアメリカは、１９８０年バイ・ドール法（政府資金で発明しても大学や研究者が特許権を得ることを認めた法）をはじめとして政策転換のための法制度を整備したのだ。イノベイティブなハイテク産業を育てるために大学への研究資金援助も一気に増やした。

さらに大学の研究者に対して、国がもつハイテク基盤へのアクセスも可能にした。そして、それが特許取得やビジネスにつながった場合に大学と研究者の権利にできるルールも定めた。政府が技術のエンジェルになったおかげで、大学の特許出願件数は大幅に増え、グーグルの章で述べたように大学はビジネス界と地続きになった。

研究成果がビジネスに結実すれば億万長者になれる。そのリターンが大学やベンチャーにも再投資される。失敗しても出資者の持ち株が紙くずになり起業家たちがもらったストックオプションが無価値になるだけで、それで終わりである。「Freedom to Fail」。この仕組みなら、誰もが起業したくなる。ベンチャーが増えるわけだ。

こうした仕組みのおかげで、大学の知的レベルが高まっただけでなく、研究者の懐も潤った。１９９０年代末には「シリコンバレーで1日に60人の億万長者が生まれる」と言われ、スタンフォード大学構内に高級車をたくさん見かけたものだ。この繁栄を見聞きして、世界からシリコンバレーを目指す天才的な若者がますます増えるのも、また自然の流れである。

翻ってわが日本では、バブル崩壊以降の行政改革で大学の経営にもメスが入り、大学の研究基盤が細る結果となった。のちに研究助成金が増えたといっても、アメリカとはケタ違いであり、博士課程やポスドクの研究者は食べていくのも大変な状況である。

起業のリスクも大きい。ひとたび失敗すれば再び立ち上がるのは極めて難しい。第2章で掲げた内閣官房と経産省の調査（２０２１年）で、起業家に対するアンケート結果によれば、「日本で起業が少ないと考える原因」の第1位は「失敗に対する危惧＝38％」となっている。

また「学校教育（3位、15％）→勇気ある行動への低い評価など」や「家庭教育（4位、

8%）→安全・安定を求める親の思いなど」、そして「世間の風潮（5位、6%）→成功しても尊敬される程度が低いなど」も理由として挙がっている。

日本は空気からして起業家に冷たい。日本にベンチャー・ブームが巻き起こった２０００年代前半期には、マスメディアが「ヒルズ族」「ＩＴ長者」と異端視し、ブームに乗った起業家を社会的に叩き潰す事件まで起こった（ライブドア事件）。あれから一気に若者の空気が冷え込んでいったのを憶えている人も多いだろう。集団主義の社会ではジェラシーが強く、「他人の成功は苦い」のかもしれない。

アメリカではＶＣやエンジェルが豊富な資金を提供しているだけでなく、[2] 上場しやすい制度も整っている。例えば赤字を続けながら上場できたのは、アマゾンやテスラだけではない。上場企業の３割が上場後も赤字を続けている。[3] それは目先の収益より成長優先を容認してい

2　シリコンバレー在住のベンチャー・キャピタリスト校條浩氏によれば、米国のベンチャー投資額は２０２１年10月までに史上最高の27兆円を超え、日本の６０００億円と比べて段違いである（日経産業新聞、２０２１年11月16日）。むしろ日本のベンチャーは米国やシンガポール等のＶＣから巨額の資金調達をしている（週刊東洋経済、２０２２年１月１日号）。

3　日本経済新聞（２０２１年11月2日）より。

るからである。目先で利益の辻褄《つじつま》合わせを求めるのではなく、「早く大きくなる」ことを歓迎するのだ。だからユニコーン（時価総額10億ドル以上の大型ベンチャー）が多くなる。

対照的に日本では、ＶＣの資金基盤が小さく、出資もみみっちくなりがちである。しかもリスクを恐れる空気が強く、何かと目先にこだわり、成長のための先行投資より利益計上を求める傾向にある。公開価格も低く抑えられ、上場時の調達額が少なくなり、小型のＩＰＯが多くなる。結果として「上場がゴール」状態にもなっている。[4]

加えてライブドア事件以来、取引所も規制を強化していて、上場後の利益計上を求める。またＭ＆Ａによる成長投資の調達などには否定的である。だからベンチャーがＩＰＯしても大きくなれず、日本ではユニコーンが生まれにくい要因の一つになっている。[5]

こうしたことを書き連ねていくとキリがない。前章までで述べたように、以前から「日本にシリコンバレーを創ろう！」という掛け声ばかりあっても、実現しないのはこうした数々の事情からである。しかし彼我の差を見て「あれもない。これもない。何もない」と言い続けても仕方がない。制度的な議論はこの本のメインの趣旨でもない。

したがって、今の状況でも日本企業ができることのヒントをＧＡＦＡをベンチマークしながら探していこう。

イノベーションの中心にいるのは個人

日本でも起業家は少しずつ増えている。ビジネススクールの卒業生たちが大企業をスピンアウトして起業するケースが以前よりずっと多くなった。というより大企業に残る価値を見いだせず、見切りをつけて辞める選択をしたという事情もある。

問題は母集団のボリュームである。日本は起業率が世界最低水準で、ベンチャーの数が圧倒的に少ない。ビジネススクールで経営者の量産を目的に、経営教育に携わってきた人間の目からすれば、日本ではアントレプレナーの量産は極めて難しいと感じる。

したがって日本ではむしろアントレプレナーより、イントラプレナーに期待をかけた方がいいと考えている。ただしここでいうイントラプレナーは、社員を社内起業家にすることを

４　こうした事情を日本経済新聞編集委員・川崎健氏は「壊れてしまったマザーズ（市場）」と論評している（同紙、２０２２年２月10日）。

５　日本経済新聞（２０２１年８月９日）より。ちなみに同紙（２０２２年２月24日）によれば、世界のユニコーンの数は１０００社を超え、うち米国には過半近くの４８８社、中国１７０社、日本は６社となっている。

想定しているというより、大企業がベンチャーのインキュベータになることをイメージして使っている。大企業がベンチャーを支援し、育てるのだ。

それはなぜか。起業を成功させるにはたっぷりと経営資源を与えなければならないが、それをほぼ占有しているのが日本では大企業だからである。しかも大企業がその手持ちの資源を余らせている、と考えるからである。

〈カネ〉は豊富にある。財務省「法人企業統計調査」によれば、日本企業がストックする現預金は３２０兆円に達する（２０２１年３月末）。資本金10億円以上の大企業だけとっても79兆円ある。上場企業のネットキャッシュ（現預金＋短期保有有価証券－有利子負債－前受金）のランキングを取っても、第１位ソニーＧの２・６兆円を筆頭に、５００億円以上もつ会社が１６５社あり、５００位の企業でも１４２億円もっている。[6] これらのカネは眠っていると言ったら失礼だが、未活用の資金である。本来、カネに限らず経営資源を眠らせているとしたら、それは経営者の怠慢のはずだ。

〈技術〉も有効活用されずに眠っているケースが多い。

例えばベンチャーが開発を進めていくと、たびたび既存企業の特許にぶつかる。そして、その特許がその企業では使われない休眠特許であったとしても、使用許諾が下りないケースが多い。将来ぶつかることがあるかもしれないと考えると意思決定できないのだ。そしていつまでもクズグズと、反応が返ってこない。

〈ヒト〉も似たような事情にある。日本では大企業が有能な大学生を一括採用で、ほぼ青田買いする。最近では早慶でも東大などでも起業を目指す学生が増えている。あるいは起業の勉強のため、外資系コンサルティングへの就職志望者も増えている。しかし数の上では圧倒的に、ポテンシャルのある若手人材が大企業に吸い取られる。

ビジネススクールに経営の勉強にやってくる大企業の若手社員たちと話してみると、潜在的な能力者が多い。しかし仕事の実情を聞いていくと、会社がそのポテンシャルを最大限に伸ばす活かし方をしているとは到底思えない。加えて彼らのほとんどが大組織を離れることに恐怖を感じている。抵抗を撥《は》ねのけるような突破力のある野心家は少ない。ベンチャーの有能な一員となって起業家を強力に支えることはできるフォロワーの適材は多いのだが……。

図表5－2は、ベンチャー企業が大企業などに協力して欲しい項目の調査結果である。べ

6「最新！これが『金持ち企業』トップ500社だ」東洋経済オンライン（https://toyokeizai.net/articles/-/502385）より。

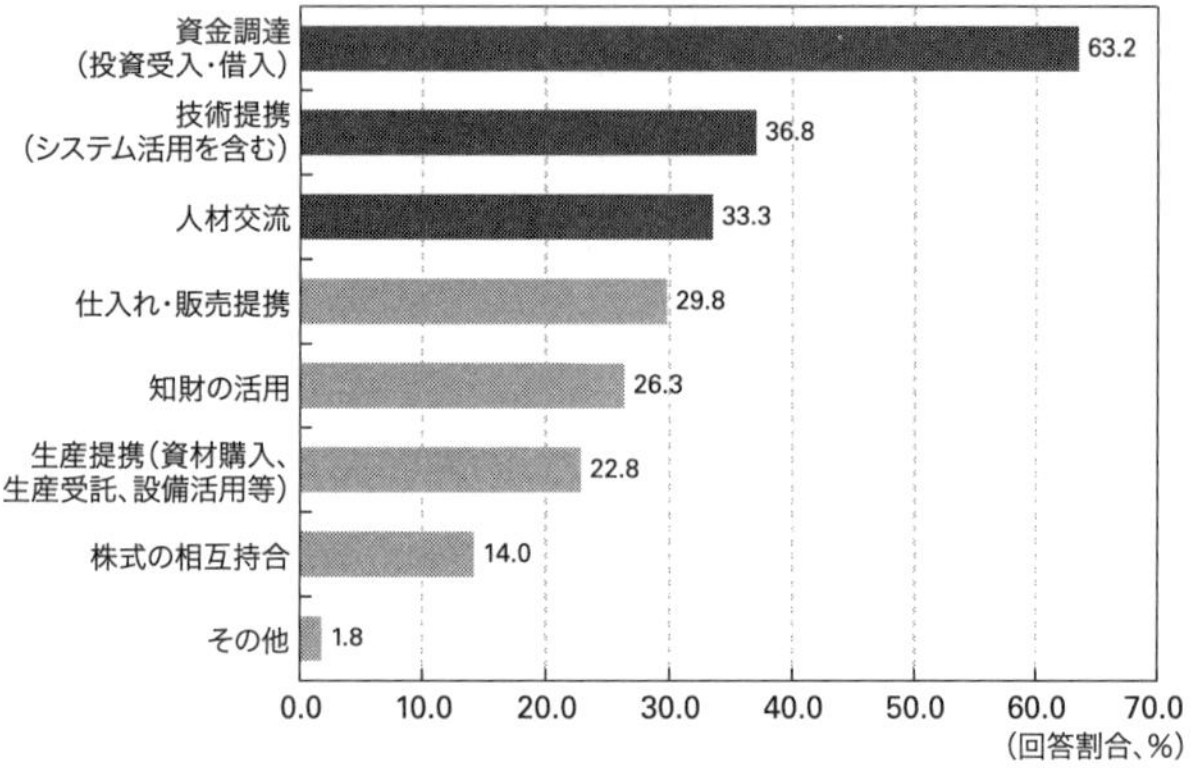

出典）一般社団法人ベンチャーエンタープライズセンター『ベンチャー白書2020』の資料をもとに作成。

図表5-2　ベンチャーが大企業などと協業したい項目（複数回答可）

ンチャーが欲しいのは資金、技術、人材の順であり、大企業との協業が実現すれば、ベンチャーにとってかけがえのない支援になる。

課題はベンチャーを率いるリーダーにもある。GAFAを見てもイノベーションは個性的なリーダーから生まれる。人から始まるのだ！

もちろん大組織の片隅に天才的な変人が眠っていることもある。彼がたまたま庇護《ひご》してくれる経営者と出会って、イノベーションが起こった例はいくつもある。かつてのNHK人気番組『プロジェクトX』に登場したサラリーマンの物語のいくつかがそれだった。その偶然にも期待したいが、「革新は辺境から」というように、イノベーターは内部にこだわらず、広くオープンに探すべきだ。

要は「人が起点」ということである。しかも固有名詞で考えるべきで、21世紀型の基本的な人選のコンセプトは「一本釣り」だ。

そのためにイノベーターを発掘する意欲と覚悟、そして仕組みが要る。その仕組みのヒントは日本企業の典型ともいうべきトヨタ自動車、そしてソニーGにある、と考える。

トヨタが一本釣りで挑む社内ベンチャー[7]

トヨタは現在、コロナ禍で物流の分断や半導体不足などから減産に苦しんでいる。しかし、コロナ禍以前も販売台数の停滞に悩んでいた。

その理由は、例えば日本では若者の財布の中身を巡ってスマホに負けていることだ。若者にとってスマホは必需品だが、車はそうではない。また、アメリカではウーバーやリフトな

7　この節および次節のエピソードは日本経済新聞（２０１６年６月９日、２０１８年４月５日、同年４月７日、２０１９年11月16日）および日経産業新聞（２０１８年４月２日、２０２０年４月27日）より。

どのシェアリング・サービスに新車需要を食われた。中国や欧州ではＥＶ優遇という国家政策からハイブリッド車ですら冷遇されてしまった。ひっくるめて言うと、スマホやシェアリング、ＥＶに自動運転を加えればＣＡＳＥ（Connected、Autonomous、Sharing、Electric）といわれる車の次世代技術になるが、トヨタはこれらに出だしで後れを取ったのである。

しかもライバルは自動車会社というよりＧＡＦＡである。グーグルやアマゾンが自動運転車（配送車）の開発を進め、アップルｉＣａｒの噂なども絶えないなかで、彼らの強さはソフトウェアのプラットフォームにある。彼らにモビリティ（移動）のプラットフォームを押さえられてしまえば、車は単なるデバイスに過ぎなくなる。アップルのｉＰｈｏｎｅ製造を担うホンハイのように、トヨタもＧＡＦＡのただの製造下請けにされかねない。それでは低利益に甘んじなければならない。

だから豊田章男社長は「トヨタはプラットフォーマーになりたい」と言っていた。つまりトヨタ自身が、モビリティのインフラを担う企業に大変身したいのだ。

トヨタのすごさは、その起死回生策としてシリコンバレーに研究開発拠点を築き、大物を一本釣りしたことである。それがＴＲＩ（Toyota Research Institute）のＣＥＯギル・プラットである（以下、敬称略）[8]。

プラットはロボット工学の世界的研究者の一人で、複数の起業経験をもち、マサチューセッツ工科大学（ＭＩＴ）などを経て、米国防総省国防高等研究計画局（ＤＡＲＰＡ）でＡＩやロボット研究のリーダーを務めた人である。トヨタはＴＲＩのためにまず当初5年間で10億ドルの研究資金を用意した。プラットはこれに応えて、すぐにスタンフォード大学やＭＩＴなどの近辺に3拠点を設け、人材をヘッドハントして研究体制の整備を進めた。

彼がいち早く電話をかけ、引き抜いた人物の一人がグーグルにいたジェームズ・カフナーである。カフナーも煌《きら》びやかな経歴の持ち主。スタンフォード大学のロボティクス研究で博士号を取得し、複数の起業に成功した。その後カーネギー・メロン大学准教授を務め、グーグルで自動運転プロジェクトの立ち上げに携わり、当時はロボティクス研究リーダーを務めていた。実はそのグーグル時代に、カフナーがヘッドハントしようとしたのがプラットだった。

8　プラットやカフナーの経歴についてはトヨタＨＰ（https://global.toyota/jp/company/profile/executives/?_ga=2.245426372.1989552304.1649329488-1204688341.1649329488）などより。

「グーグルに来てくれませんか」[9]

しかしたまたま同じ頃、プラットに強力にアプローチしていたのがトヨタだった。グーグルは２０１４年にそれまで開発中だった自動運転車を初めて公開し、２０２０年までに実用化するとぶち上げた。トヨタはこれに衝撃を受ける。将来、需要があるかないかもわからず、実用化も疑問であり、「まだ先のこと」とタカをくっていたのだ。

急遽この年に推進チームを作ってトヨタは検討を始めた。ストレートに「どうすればグーグルに勝てるか」がテーマとなった。しかし、トヨタはＡＩの先端研究者から存在すら認めてもらえない。「求心力のあるリーダーが必要」とトヨタがアタックしたのが、プラットだった。

プラットは当時、ＤＡＲＰＡ主催のロボット・コンテストの責任者をしていた。２０１５年６月、トヨタは「これを逃せばチャンスはない」とばかりに、決勝会場にいた彼をつかまえ口説き落とした。そして今度はそのプラットが、カフナーをヘッドハントした。

「逆にヘッドハントされちゃった（笑）」

カフナーはトヨタに移ると、ＴＲＩ－ＡＤ（AD=Advanced Development）を立ち上げ、ＣＥＯに就いた（Senior Vice President に豊田社長の長男・大輔が就任）。また２０２０年にはトヨタの取締役兼 Chief Digital Officer にも就任している。

さらに２０２１年にＴＲＩ－ＡＤは、トヨタの次世代プロジェクトの目玉であるスマート・シティ計画をリードするウーブン・プラネット・ホールディングス㈱に改組し、カフナーがＣＥＯに就いた。トヨタは移動のプラットフォーマーを超えて、それをも包摂する「町まるごと」プラットフォーマーになる旗を掲げたのだ。自動運転車は町に組み込まれる。

そのためにカフナーもまたグーグルはじめＧＡＦＡからも人材を大量に引き抜き、ウーブン・プラネットは大所帯になりつつある。公用語は英語だ。

同社ＨＰにはウーブンの「リーダーたち」とあり、日本人６人と外国人８名のリーダー計14名の顔写真と経歴が載せられている。いくつか挙げると、外国人リーダーの中には、ＳＡＰ（ヨーロッパ最大級のソフトウェア会社）で20年要職にあった女性（ＣＯＯ）、マイクロソフ

9　直後の引用箇所も含め日経産業新聞（２０２０年４月27日）より。

トで技術分野の役員や人事責任者などを務めた女性。ネットフリックスのクラウドプラットフォームに携わり、複数のスタートアップでソフトウェア開発を手掛けたＭＩＴ修士。マイクロソフトやフェイスブックでコミュニケーション戦略を担当してきた女性。グーグルで多岐のプロジェクトに携わってきたユーザー・エクスペリエンス担当……などなど。高い能力と経験、そしてダイバーシティを象徴するメンバーで構成されている。

「予算は気にせず、思い切って開発してほしい」（トヨタ経営陣）

この後ろ盾があって、ウーブン・プラネットの日本橋本社オフィスも、ブッ飛んでいる。コンセプトは「AI Palette」。スローガンは「ダイバーシティ＆インクルージョン（Ｄ＆Ｉ）」である。ＨＰの動画で豊田大輔は、日本橋に「日本とシリコンバレーをつなぐブリッジの場、イノベーションを作る」と宣言し、次のような抱負を語っている。


「世界中のトップタレント人材を取る」

「人が大事。だから人に投資します」

「融合は相互の特性を失わせてしまう。特性を生かしたまま共存できる場」

「これまでのトヨタから脱却する」

高層ビルの５フロアを使ったオフィスは１２００人収容できる規模で、中にはトヨタが作ったパーソナル・モビリティ・ロボットで外周を走り回れるレーンがある。ハンモックがぶら下がったリラクゼーション・コーナーがあり、仮眠ルームやマッサージルームもあるという。まさにグーグルを彷彿《ほうふつ》させるオフィス作りだ。倹約の精神に満ちた質実剛健なトヨタの旧本社ビルを知る人が見たら「これがトヨタ？」とのけぞるに違いない。

他に人事制度や組織作りも含めトヨタはシリコンバレー流を取り入れているのだ。

成功体験を捨て、挑戦を応援しないと未来はない

トヨタといえども情報革命の波にのまれ、安泰とは言えない。そのなかで日本的経営の象徴であるトヨタが外部から一本釣りした人材をチェンジ・リーダーに据え、社内ベンチャーを立ち上げて未来を託そうとしている。トヨタはなぜ、あえて別会社を作り、トヨタの否定ともいえる自由な運営で未来を開発しようとするのか。

トヨタはもともとカイゼンの会社として有名である。トヨタ自動車のルーツとなる豊田佐

吉の自動織機も、豊田喜一郎の自動車も、英国や米国の製品を低コストかつ高品質にカイゼンしてシェアを広げてきたものである。

「トヨタは1を10にカイゼンするのは得意だが、ゼロから新しいものを生み出すのは苦手」

（トヨタ技術系役員）

しかも産業革命の指導的規範である、号令一下、整然とした組織力の高さで戦ってきた企業でもある。

「社内に優秀な人材、斬新なアイデアはある。だけど現場からのボトムアップで提案すると、部署や階層が多くて何度も『地区予選』を突破しないと通らない」（トヨタ役員）

産業革命のフィルターで、情報革命の提案をスクリーニングすれば全滅する。多くの日本企業で、トヨタの「地区予選」と似た現象に思い当たるのではなかろうか。

だからトヨタは、トヨタの従来のカルチャーとは隔絶した別組織で、プラットやカフナーらいわば「よそ者」に未来へのリードを託した。

「過去の成功体験を捨て、挑戦を応援しないと未来はない」

「未来のモビリティ社会という誰も登ったことのない山頂を目指す」

この言葉に豊田社長の強い思いがある。

一方で、この豊田社長の計画についていけるトヨタ社員はどれだけいるだろうか。想像でしかないが、2：6：2の経験則でいえば2割の人は「スゴイ！」と期待を寄せ、6割の人が冷ややかな目で様子見を決め込み、2割の人が強い拒絶反応を示しているのではないか。失敗の兆しでも見えようなら「それ見たことか！」の大合唱になるかもしれない。豊田社長が社内を振り向くと誰もいないという事態もあり得ないことではない。

とはいえ、創業家の豊田社長が「黙って、俺についてこい」的な強権リーダーシップを発揮しないと、この難局を乗り越えることができないことも事実だろう。

豊田家には「一代一業」という家訓があった。佐吉の自動織機、喜一郎の自動車、章一郎の住宅に続いて、章男の町づくり（?）、そして大輔のプラットフォーマー（?）と続けば、豊田家とトヨタの長寿の道が開けるかもしれない。

カフナーは現在51歳。トヨタの次期後継社長候補の一人とさえ噂されていて、成功すれば、いつかこの社内ベンチャーがトヨタを吸収する日が来るかもしれない。

それにしてもプラットやカフナーはなぜトヨタの要請に応じたのだろうか。

プラットは「なぜトヨタ入りを決断したのか?」という質問に、目指すものが同じだったからと言ってこう続けている。

「亡くなった私の父は認知症だった。父にとって車は身体能力を拡張するもので、車のキーを取り上げざるを得なくなったときは悲しかった。高齢者でも事故を心配せずに乗れる車を作れれば、生活の質が向上する[10]」

プラットの父君は寒さをものともせずに動き続けるトヨタ車がお気に入りだった。ヘッドハントの際、高品質の代名詞トヨタの名前を聞いて、興奮したと話す。

カフナーも、グーグルでの自動運転車開発以上のことがトヨタでできるから、という。自動運転は確かにソフトがカギだが、それはハードの品質との相乗で生まれる。しかもグーグルでは何台もの試作車が走行実験を重ねているが、トヨタはその気になれば市販車から膨大な走行データを採取しうる。さらにコンピュータ・ソフトがクラッシュしても回復可能だが、車のソフトがクラッシュすれば人命に関わる。トヨタの高品質がここでも効いてくるはずだ。「交通事故ゼロを目指す」と呼びかけるメッセージに共鳴したというメンバーたちもいる。

ＧＡＦＡのケースに見られたように、理念が人を吸引し、関係者のサポートを引き出し、革新へとドライブをかける。今までもトヨタは安全に注力してきたが、ネットやＡＩの力で飛躍的に安全な車を作る可能性を秘めている。プラットの父君のように、たとえ認知症になったとしても、これなら「ファン・トゥ・ドライブ」を実現できるかもしれない。トヨタは懸命に、未来の大聖堂を描こうとしている。

そして、そのためにトヨタは会社の外にも目を向けている。

ウーブンには、子会社にウーブン・キャピタルというＣＶＣ（コーポレイト・ベンチャー・キャピタル）がある。現在８億ドル規模の投資ファンドとして運営され、主にＣＡＳＥ分野のベンチャー企業に投資し、技術協力も図ろうとしている。トヨタはウーブン・プラネットという社内ベンチャーだけでなく、社外のベンチャーにもＣＶＣで目配りをしているのだ。

同じトライはいろいろな企業で進み始めている。ＣＶＣは単なる部分出資や他社との相乗り出資もあるが、資金だけでなく技術やヒトの協力を含めた様々なサポートをする、ハンズオンのＣＶＣも増えている。

そしてこうした形態を超えて、ベンチャーのためのエコシステムそのものを創ろうとトライしているのが、次に紹介するソニーＧだ。

10　日本経済新聞（２０１６年６月９日）より。

ソニーGが作るベンチャーのエコシステム

ソニーGが運営する「ソニー・スタートアップ・アクセラレーション・プログラム（ＳＳＡＰ）」は、日本ではかなりユニークである。

発端はソニー前社長の平井一夫（２０１２〜２０１８年社長在任）が、ランチミーティングで聞いた社員の声から始まる。平井は、赤字のエレキ事業に大鉈《おおなた》を振るうなど大胆な事業再構築を進めた。のちにソニーが目指すべき理念を「ＫＡＮＤＯ（感動）」という言葉にまとめた人でもある。しかし当然、リストラは社員のモチベーションをガタガタにした。ランチミーティングでは、ソニーに夢を持って入ってきたのに、新しいアイデアを出しても赤字だからと誰も取り合ってくれない、という声が多かった。

平井は、暗いムードの中で社員の挑戦への情熱が溜まっているのを知り、何とかしたいと感じていた。そんな折、30歳代の若手から、社内の新規事業のアイデアを集めて事業化する支援システムを作りたいという提案が上がってくる。平井は、提案者の小田島伸至に実行案の具体的な取りまとめを依頼した。

やがて小田島が社内の声を徹底して拾い、案をまとめてきた。それには「社長直轄の位置づけ」「アイデアは社内だけでなく外部の起業も交えたオーディションの実施」「事業の実現を加速する支援の仕組み」など、プログラムの骨子が練られていた。

社長直轄を条件にしたのは、従来のソニーでは新規プロジェクトが動き出しても、トップの関与度が低く、いつの間にか自然消滅したケースが多かったためだ。ましてプロトタイプの試作一つをとっても、社内のいろいろな部門の協力が必要になる。トップの強力な支援なくして軋轢や抵抗を超えることはできない。

本社１階に作られた社内外のコラボレーションのためのスペース「クリエイティブラウンジ」には、試作のための３Ｄプリンタなど機材も置かれている。平井はここに努めて顔を出し、「平井が力を入れている」というメッセージを送り続けた。こうして立ち上がった「シード・アクセラレーション・プログラム（ＳＡＰ）」に、平井はもう一つ注文をつける。

「ＳＡＰで新しいビジネスを作るだけではなく、ＳＡＰという仕組みそのものをビジネスとして売り込んでいけ[11]」

ＳＡＰは様々な仕組みを織り込んで現在のＳＳＡＰになるが、ここには様々なサービスの選択肢が用意されている。

例えば、起業志望の学生向けにインターンシップ制度があり、起業に必要なトレーニングを実施している。参加者がソニーに入社することがあれば、経験を積んだうえで社内起業家として支援する道もある。その際に「副業としてソニーで週2日働き、あとは自分の事業に集中する」といった働き方も可能だという。「若者へのリスペクト」が感じられる取り組みだ。

起業のトレーニングは、大学とのコラボでも進められた。東大や東工大、東京芸大、立命館大などの学生向けにソニーが起業講座をシリーズで提供し、事業化案が出てくれば、他大学とのヨコ連携も含めてサポートする。

メニューも事業アイデアの創出支援から、事業化のプロセスすべてに関わり、組織作りやマネジャー育成の支援まで幅広くサポートするプログラムになっている。

ＳＳＡＰのＨＰによれば２０２２年３月時点で、19件が事業化に結実した。その中にはソニー社内で事業化したもの、ＬＩＸＩＬや京セラなど他社で事業化されたもの、さらに上場に成功した例も出ている。２０１９年にマザーズ上場（1年後に東証1部へ）に成功したＳ

ＲＥホールディングス（旧ソニー不動産）である。ＳＲＥはＡＩテックを使った不動産の会社であり、最初は「えっ、ソニーが不動産？」と訝しく見られたが、ソニーらしいユニークさを持つ会社になっている。

「大事なのは、発案者を尊重してリーダーを支えることだ。それぞれ足りない部分を見極めて、補えるだけの体制が整っている。…事業化を支える『アクセラレーター』も育っている」（小田島ＳＳＡＰ責任者[12]）

「『がむしゃらに頑張れ』といった精神論ではなく、再現性の高い科学的なアプローチを提供したい」

ソニーは第１章の図表１－２（76ページ）に出ているように、エンタテインメントからエ

11　平井のエピソードについては章末の［文献２］より。
12　直後の２つの発言も含め日経産業新聞（２０２１年８月12日、同年８月24日）より。

レキ事業まで幅広い。したがって開発や生産に至る広いアセットでサポートできる。必要に応じて他社との連携もコーディネートする。さらにソニーという日本を代表するブランド力も魅力的な要素だろう。

新規事業のサポートをしてほしいという他企業からの依頼も多くなり、２０１８年からは外部への有料サービスを始めた。平井のリクエストを現実にして、ノウハウをパッケージ化して提供しているのだ。この契約実績はＮＰＯも含めて広く20業種、事業化に結びついた件数は１４０超に及ぶという。[13]

ＳＳＡＰの取り組みは途上であり、まだ規模も大きいとはいえない。ただ、このプログラムがソニーＧにもたらす有形・無形の効果は計り知れないかもしれない。

起業家との接点が増え、社員への刺激になるといった社内への効果だけではない。一企業によるものとはいえ、もしソニーＧがスタートアップのエコシステムを作ることができれば、日本企業全体への弾み車となるはずだ。ましてその先頭にソニーＧが立ってリードできれば、どれだけメリットがあることか。

シリコンバレーを生んだのは一私立大学のスタンフォードである。一大学が先鞭をつけたモデルが全米に広がっていったように、一私企業がこうしたムーブメントのドライバーにならないとは限らない。

トヨタのアプローチ方法も含めて、多くの日本の大企業が競ってベンチャー育成のエコシステムを作るような動きが起これば、日本の情報革命が一気に進むかもしれない。こんな願いは、楽観的過ぎると映るだろうか。

　「新規事業をやりたいヒト、モノ、カネが集まるようなスタートアップのハブを目指す。共創インフラを地道に作りつつ、仕掛けも増やしている」（小田島）

ソニーＧには多くの金融機関や企業、大学と組んで投資ファンドを組成する「ソニーベンチャーズ㈱」という組織もある。ベンチャーのハブを目指すソニーＧのチャレンジに拍手を送りたい。

日本企業の中には、ソニーＧと似た取り組みを進める企業が、リクルートやＤｅＮＡ、サイバーエージェントなど少しずつ出てきている。繰り返しになるが、イノベーションへのト

13　ソニーＨＰ（sony-startup-acceleration-program.com）より。２０２２年３月末までの実績値。

ライは多産多死である。だがこうした試みを「トヨタやソニーだからできること」と片付けずに、多くの日本企業がベンチマークすべきではないだろうか。

トップの理念と構想力がドライバー

起業家を吸い寄せ、ベンチャーをインキュベートしていく時、欠くことができないのはトップの理念と構想力である。

村上龍が著した『希望の国のエクソダス』には、こうあった。

「この国には何でもある。だが、希望だけがない」

日本では、生まれた家庭次第で人生が決まるという意味の「親ガチャ」という言葉が流行った。冷めた現代の若者たちは実は理念や大義に飢えている。ビジネススクールにいて、それを強く感じる。大学生の就職先選定理由のＮｏ．１は、「社会貢献度が高い34%」であり、「給与・待遇が良い」や「将来性がある」を大きく上回っていることも、それを表す[14]。

ＧＡＦＡの創業者はお金欲しさからベンチャーを立ち上げたのではない。それぞれの中身はすべて違うが、共通しているのは大聖堂=夢を実現したかったからだ。大義がＧＡＦＡを成長させた。

そしてその発信者は、トップ以外に担うものはいない。

以前、ある企業家が「日本の経営者は忙しすぎ」と言っていたが、日本の経営者の多くと話していると、目先の話ばかりで夢がないと感じる。

理念の話をすると「社会貢献」「イノベーション！」と書かれた額を指しながら「うちにもあります」と言って、コピーライターに制作依頼したような、社員が誰もグッとこない、浮いた言葉の羅列に平然としている。

ロングレンジの話をすれば「雲つくような話」と煙たがられる。これでは、理念や構想力を磨くことにもならない。現代は「雲つく話」が大事なのだ。

では、どうするか？　勉強すればいいのである。トップのリベラルアーツも磨かれるべきだ。長い歴史認識から未来思考へと展望をつなげる構想力の訓練が必要だ。フェイスブックのザックに向けられた「ＣＥＯのレッスンを受けて！」という言葉に日本の経営者も耳を傾けるべきだ。

14　日本経済新聞（２０２１年12月６日）より。

例えば、孫正義率いるソフトバンクGでは毎週、長期計画を議論するという。

「これまであまり外に言ってきてないのですが、15年計画というのがあり、それを毎週見直しています。そもそも、15年計画を本気でつくっている会社は世界中にもあまりないと思います」

そして、記者からの「15年後に見る未来はどんなものか？」という質問には次のように答えている。

「びっくりする内容です。聞いた人のほとんどが笑っちゃう、信じないレベルだと思います。そもそもソフトバンクをつくった当日から、アルバイト2人を前にして、大ボラ吹いて、誰も信じないというレベルでしたから。でも僕は本気だった[15]」

アルバイト云々の話は、たった二人のアルバイト社員の前で「いずれ私は、1丁2丁（1兆2兆）と数える豆腐の経営をする」と訓示して、辞められてしまった創業エピソードのことである。でも豆腐の経営は創業から20年も経たず、孫は実現した。

革命期の今だからこそ、孫の「笑っちゃう」ほど「人が信じない」レベルの構想を本気で議論し磨くべきではなかろうか。

最近成長著しい藤田晋率いるサイバーエージェントでも創業以来、現業を離れ、新規事業を含めて未来を議論している。年に２回「あした会議」という合宿で、各役員が「これは」と思う有能な若手社員を５人ほど指名しチームを組んで、提案競争をする。

最近、「ＳＦ思考」とか「ＳＦプロトタイピング」という言葉が流行っていて、サイエンス・フィクションをベースに「未来はどうなるか。われわれはどうするか」を議論する企業がある。こういう脳みそに強烈な刺激を与える議論が、トップのグランドデザインの訓練になるはずだ。

15　直前の発言も含め日経ビジネス（２０２２年１月10日号）より。

希望は残っている

これまでＧＡＦＡのカルチャーと日本企業のそれは真逆であると述べてきた。それも日本の情報革命にかなり否定的なトーンで……。

日本の経営に通じていたドラッカーもまた日本に厳しい見方をしてきた人だ。「日本は19世紀のヨーロッパの国のように、マヒ状態にある」とまで言っている。日本の産業が効率的で競争力をもつという説は全くの間違いで、ほとんどの産業が保護されたままでグローバル化の経験がなく、恐ろしく非効率である、とも。

しかし面白いことに「日本は、今後どう生きていくのか？」という質問に答えて、こんなことを言っている。

「今言ったことすべてにかかわらず、日本を軽く見ることはできない。一夜にして１８０度転換するという信じられない能力を持っている。…日本は劇的な転換が得意である。一定のコンセンサスを得るや、直ちに転換する[16]」

ドラッカーの頭にあるのは、近代史で日本が劇的に転換した二つのイベント、明治維新と第二次大戦の戦後である。

明治維新は、ペリーの黒船来航をきっかけとして国が開かれ、それまでの武士階級による封建社会が崩壊し、日本が西欧化した近代国家に作り替えられた事件である。それをリードしたのは主に辺境の武士たちだったが、「尊王攘夷」を叫んでいたはずの彼らが、維新後には西洋かぶれに変わる。元武士たちは髪をザンギリ頭にして、鹿鳴館でダンスを踊るまで変身したのだ。まさに価値観を１８０度転換させた。

第二次世界大戦ではアメリカが日本の支配体制を崩壊させた。しかも広島と長崎に二つの大量殺戮兵器まで落として、日本を焼け野原にしてしまった。だが、つい直前まで「鬼畜米英」と叫んでいた日本人はアメリカを恨むどころか、戦後はアメリカ大好き人間になった。

「こんな民族はレア」と、ドラッカーには映るのだろう。

ユダヤ系の人の中には紀元前の恨みを忘れず、現代にまで引きずっている人がいる。韓国

16　章末の［文献3］第Ⅲ部・第4章より。

の留学生からは「韓国人は皆、豊臣秀吉が大嫌いです」と教えられたが、それが世界ではスタンダードなのだ。

日本は世界でもレアな国であり、ドラッカーが言うように、劇的な１８０度の転換が得意な国なのだ。それはなぜなのだろうか。

そこにはいろいろな説がありそうだ。一神教の宗教と違って八百万神《やおよろずのかみ》、つまり森羅万象すべてに神を認める、もともと多様な価値観を包容する文化だからか。実際、日本人は古くには遣唐使や遣明使を送って大陸の文化を盛んに吸収し学んできた。鎖国の時代にも出島があった。しかも外国の文化や技術をアレンジし、自分流にしてしまう。もともとオープンで、和魂漢才・和魂洋才を実現してきた国だ。

ただ同時に、日本は集団主義の文化が色濃い。気配り、忖度の社会である。したがって周囲を窺っている。自分だけ変わるのをよしとしない。だが場の空気が「世の中変わった！」となった瞬間、日本人は雪崩をうって変わる。つまりドラッカーが言うように一定のコンセンサスが必要だ。コンセンサスが成立した瞬間、変わる。

トヨタの節で２：６：２の経験則の話をしたが、変化を積極的に受け入れる人の割合が20％を超えてある閾値《いきち》を超えると、様子見の６割の人たちが雪崩をうって変わるという、日本の風土変革の研究がある（閾値の割合については、25%など諸説あり）。こんな面白い国民は、確かに世界では珍しいかもしれない。

明治維新から敗戦まで77年。敗戦から２０２２年でちょうど77年経つ。日本は全面リセットのタイミングを迎えている。

多様な価値観を受け入れて変革するという意味では、２０１９年ラグビー・ワールドカップでの日本代表・桜ジャパンが象徴的だった。ヘッドコーチ（ＨＣ）はニュージーランド人。キャプテンは日本国籍を取得したニュージーランド人。チームメンバーも32人（ＨＣ含む）のうち国籍を取得した人を含めて外国人は6カ国16人。このチームが「One Team」をスローガンに、決勝トーナメント進出という快挙を成し遂げた。我々日本人をどれだけ沸かせたことか。

最後に。

情報革命が本格的に社会を変えるのはこれからと思い知ろう。

大企業にこそ、ベンチャーのエコシステムが要る。

内外から尖った人材を一本釣りで。混ぜれば強くなる。

日本人の得意技、価値観の１８０度転換を今こそ。

日本人ならできる！

主な参考文献

［文献１］Toffler, A.（1980）: *The Third Wave*, W. Morrow Co.（徳山二郎監修、鈴木健次他訳『第三の波』日本放送出版協会、１９８０年）

［文献２］平井一夫『ソニー再生：変革を成し遂げた「異端のリーダーシップ」』日本経済新聞出版、２０２１年

［文献３］Drucker, P.F.（2002）: *Managing in the Next Society*, Truman Talley Books.（上田惇生訳『ネクスト・ソサエティ：歴史が見たことのない未来がはじまる』ダイヤモンド社、２００２年）。

あとがき①

現在お世話になっているビジネス・ブレークスルー大学院で、私のビジネススクール遍歴は3校目となる。若いビジネスパーソンたちと熱い議論を交わしてきて、私自身はこの上ない幸せを感じてきた。しかし慶應や早稲田のビジネススクール卒業生たちとのお付き合いのなかで、彼らが徐々に閉塞感に陥る姿を見かけることも多くなった。

一方で、二十数年前に研究休暇で長期滞在したシリコンバレーの勢いと明るさは、今も続いている。この彼我の差はいったい何なのか？

そんななかで、卒業生の牟田さんらとお酒を飲みながら議論していて「一緒に本を書く?」となって生まれたのが本書である。私は研究経験こそ長いがアナログ世代。牟田さんは若いがデジタル・ネイティブ。仕事でシリコンバレーとの行き来もある。こんな組み合わせがなければ、ＧＡＦＡをテーマにする本書は生まれなかった。

　牟田さんとは何度も議論をし、４社のケース教材を一緒にまとめながら、膨らんだ構想を光文社の古谷俊勝さんにお話ししたところ、快く出版を引き受けてくださった。同社新書編集長の三宅貴久さん、さらに直接担当してくださった河合健太郎さんのサポートがなければ、本書は完成しなかった。

　そしていつも迷惑をかけている妻・照美と、シリコンバレーで働き、コロナ禍の下、最新の現地事情を届けてくれた息子・羊爾にこの場を借りて感謝！

２０２２年４月

山根節

あとがき②

私が米国シリコンバレーを初めて訪れたのは２０１５年。ＩＴ分野で仕事をしてきた身としてＧＡＦＡをこの目で見てみたくて、在学していた早稲田ビジネススクールの先生方などにツテを紹介いただき、グーグル、アップル、フェイスブックを訪問した。徹底された実力主義、それに勝ち残った優秀な社員たち、至れり尽くせりの労働環境……。カリフォルニアの明るい日差しも手伝ってか、目にするものすべてがキラキラと輝いて見えた。

それから7年の歳月が流れた。ＧＡＦＡは今も成長を続け、我々の生活に欠かせない「インフラ」としての地位を獲得しつつある。そんな今だからこそＧＡＦＡについて深く理解することは、今後の世界を生きる上でのヒントになるだろう。このような思いが本書の出発点となっている。

ＧＡＦＡの歴史を紐解けば、実は大なり小なり日本の影響が見てとれて、本書ではそれも紹介している。閉塞感が拭いきれない日本だが、読者の方々が「日本もなかなかやるじゃないか！」と自信を持てるきっかけとなれば、共著者としてこれほどの喜びはない。

最後に、本書の執筆にお声がけくださり、未熟な自分を温かくご指導くださった山根先生、仕事の合間を縫って本書の作業をする私を心配しつつ見守ってくれた両親にこの場を借りて心より感謝します。

牟田陽子

２０２２年４月

山根節（やまねたかし）

1949年生まれ。早稲田大学政治経済学部卒業。慶應義塾大学大学院にて修士、博士課程修了（商学博士）。スタンフォード大学客員研究員、慶應義塾大学ビジネススクール教授（現・名誉教授）、早稲田大学ビジネススクール教授などを経て、現在はビジネス・ブレークスルー大学大学院教授。

牟田陽子（むたようこ）

1982年生まれ。慶應義塾大学総合政策学部卒業。ロンドン大学にて応用言語学の修士課程修了後、eラーニングのベンチャー企業立ち上げに参加。2015年、早稲田大学ビジネススクール（MBA）修了後は自動車メーカーにおいてコネクテッドカー関連の事業企画に従事。

なぜ日本《にほん》からGAFAは生《う》まれないのか

2022年5月30日初版1刷発行

著　者 ── 山根節　牟田陽子
発行者 ── 田邉浩司
装　幀 ── アラン・チャン
印刷所 ── 萩原印刷
製本所 ── ナショナル製本
発行所 ── 株式会社光文社
東京都文京区音羽1-16-6（〒112-8011）
https://www.kobunsha.com/
電　話 ── 編集部03（5395）8289　書籍販売部03（5395）8116
業務部03（5395）8125
メール ── sinsyo@kobunsha.com

 ISBN 978-4-334-04611-8

光文社新書

1188

弱くても稼げます

シン・サッカークラブ経営論

小山淳　入山章栄
松田修一　阿久津聡

真に地域に密着し、安定と成長を実現する方程式はあるのか。サッカークラブを起ち上げ5年でJリーグ入りさせた起業家が、第一線の経営学者たちと語るスポーツ産業の未来地図。

978-4-334-04596-8

1189

「現代写真」の系譜

写真家たちの肉声から辿る

圓井義典

私たちはさまざまなジャンルの写真に囲まれて暮らしている。本書では「現代写真」に着目し、日本を代表する写真家たちが何を模索し、何を語ってきたのかを辿ることで流れを一望する。

978-4-334-04597-5

1190

ネットで故人の声を聴け

死にゆく人々の本音

古田雄介

故人が生前残したブログやHP、SNSからは死に際しての隠せぬ本音が見え隠れする。故人がインターネットに残した足跡とどう向き合うべきか？　15の事例から迫っていく。

978-4-334-04598-2

1191

女性自衛官

キャリア、自分らしさと任務遂行

上野友子
武石恵美子

「命を懸けてでもこの国を守る」と誓う傍ら、母親として家族も守る自衛官たちが見出した、究極のワークライフバランスとは？　女性自衛官の生の声にみる新・女性キャリア論。

978-4-334-04599-9

1192

映画を早送りで観る人たち

ファスト映画・ネタバレ――コンテンツ消費の現在形

稲田豊史

映画を早送りする視聴スタイルの背景には、現在の巨大な消費社会の存在があった。人々がそうせざるを得ない切実さに向き合い、コンテンツ受容の変化を徹底的に取材した意欲作。

978-4-334-04600-2

1193

写真はわからない

撮る・読む・伝える——「体験的」写真論

小林紀晴

「撮る者」は日々どんなことを考え、どう行動して写真を生み出しているのか。「誰もが撮影者」である時代に考えたい「いい写真」とは？ 初心者からプロまでに贈る、著者初の写真論！

978-4-334-04601-9

1194

物理学の野望

「万物の理論」を探し求めて

冨島佑允

物理学は何を積み重ねてきたのか。その目的は何か。難しい公式や計算は一旦隅に置いといて、まずはその歴史を知ろう。読めば途端に物理学が面白くなる、２５００年の物理学史！

978-4-334-04602-6

1195

沖縄50年の憂鬱

新検証・対米返還交渉

河原仁志

二〇二二年五月は沖縄が日本に返還されて五十年。当時の交渉は、日本にとって帳尻の合うものだったのか——。ジャーナリストが新史料を交えて考察する、「いびつな日本」の原点。

978-4-334-04603-3

1196

一軍監督の仕事

育った彼らを勝たせたい

髙津臣吾

勝ち続けるための「スワローズ・ウェイ」、「育てながら勝つ」チームマネジメント、「絶対大丈夫」に代表される言葉力——2年連続最下位からのペナント制覇と日本一達成の裏側を記す。

978-4-334-04604-0

1197

日本の生命科学はなぜ周回遅れとなったのか

国際的筋肉学者の回想と遺言

杉晴夫

他人の成功を妬む国民性、教授の利己性と後継者の矮小化、教授の言いなりの政府の見識欠如、記者や編集者の著しい劣化…筋収縮研究の最前線での60年の経験から綴る課題と提言。

978-4-334-04605-7

1198
幻想の都　鎌倉
都市としての歴史をたどる

高橋慎一朗

「古都鎌倉」は、奈良・京都とも違い、日本人の記憶と想像によってつくられた都市だった。源氏以前の時代から現代までの通史をたどることで浮かび上がる鎌倉の実像と魅力。

978-4-334-04607-1

1199
イスラムがヨーロッパ世界を創造した
歴史に探る「共存の道」

宮田律

ヨーロッパの中世から近代にかけての発展は、イスラム文明抜きに語ることはできない——。私たちが現代社会を正しく理解するために必要な「視座」とは？「意外な史実」を学び、知る。

978-4-334-04608-8

1200
孤独なバッタが群れるとき
『バッタを倒しにアフリカへ』エピソード1

前野　ウルド　浩太郎

21万部突破の『バッタを倒しにアフリカへ』の前日譚である名著が新書で登場！　バッタに関する研究成果とともに、若き研究者の苦悩と挫折、成長がユーモア溢れる文体で綴られる。

978-4-334-04609-5

1201
依存症と回復、そして資本主義
暴走する社会で〈希望のステップ〉を踏み続ける

中村英代

「意志の弱さによる病」ととらえられがちな依存症を、現代資本主義社会の必然であると著者は説く。当事者コミュニティにおける回復実践をみながら、人類の新たな共生のあり方を示す。

978-4-334-04610-1

1202
なぜ日本からＧＡＦＡは生まれないのか

山根節　牟田陽子

日本経済が停滞する一方で、絶対的な力をつけたＧＡＦＡ。その時価総額は日本の上場企業全社の合計を超える。なぜここまで差がついたのか。その理由をＧＡＦＡの歩みに探る!!

978-4-334-04611-8